Rachel Renée Russell

D0002846

Le journal d'une grosse NOUILLE

UNE POP STAR TRÈS PESTO

548729
548729

Traduit de l'américain par Virginie Cantin

MILAN

À ma grand-mère, Lillie Grimmett. Grâce à toi, l'enfant que j'étais n'a jamais manqué de crayons, de papier, de câlins et de rêves.

Joyeux 90ᵉ anniversaire !

OMG!

C'est sûr, hier a été le plus beau jour de toute ma vie! ☺

Non seulement j'ai TROP KIFFÉ la soirée Halloween
avec Brandon, que j'aime en secret, mais en plus,
je crois qu'il m'aime bien! YESSSSSSSS!! ☺

Quand je dis « aimer bien », je veux dire comme
une SUPER-AMIE, quoi.

Il ne me voit PAS comme « sa » copine, pas du tout.
JAMAIS il ne sortirait avec moi, ça, c'est sûr à 200 %!

POURQUOI? Parce que je suis la plus GROSSE NOUILLE
de tout le collège.

Avec mes trois boutons d'acné, mes deux pieds gauches,
ma vie sociale inexistante et ma cote de popularité proche
du zéro absolu, je n'ai pas vraiment le profil pour être élue
« élève de l'année ».

Mais comme je suis méga super in love, mon expression
un peu idiote de béatitude absolue et mon look limite dégueu
pourraient me valoir le titre de « REINE DES NOUILLES » !

En fait, c'est juste que je ne suis pas ce qu'on appelle
une fashionista – comme certaines filles obsédées
par les marques.

Je ne suis PAS accro au shopping. Je ne dépense pas
deux fois le PIB d'un pays du tiers-monde pour m'offrir
les dernières créations à la mode – fringues, chaussures, bijoux
ou sacs à main – pour REFUSER CATÉGORIQUEMENT
de les porter un mois plus tard, sous prétexte qu'elles sont
complètement RINGARDES !

Contrairement à certaines personnes que je connais...

Des « personnes » aussi superficielles et égocentriques que...

MACKENZIE HOLLISTER ! ☺

La traiter de « peste » est ce qu'on appelle une litote.
C'est un crotale en bottines maquillé au gloss rose.

Non qu'elle m'intimide ou qu'elle me fasse peur. Je ne suis pas
gamine à ce point-là, quand même !

Mais j'arrête pas de me demander comment des filles
comme Mackenzie se débrouillent pour être si...
je sais pas, moi, si...

... PARFAITES.

J'aimerais bien, moi aussi, pouvoir me transformer comme
par magie en... moi-même, mais en 100 FOIS MIEUX!

Avoir un petit accessoire doté des pouvoirs extraordinaires
de la marraine de Cendrillon, facile à utiliser et suffisamment
petit pour être glissé dans un sac à main.

Quelque chose comme... Je sais pas, moi...

LE GLOSS MAGIQUE
DE NIKKI MAXWELL! ☺

Mon gloss spécial rendrait chaque fille aussi belle
à l'EXTÉRIEUR qu'à l'INTÉRIEUR!

Ce serait trop COOL, non?

FILLE SYMPA, DANS LA MOYENNE
(COMME MOI)

← AVANT APPLICATION DU ~~GLOSS MAGIQUE~~

(L'IMAGE MONTRE UNE FILLE NORMALE.)

APRÈS APPLICATION → DU GLOSS MAGIQUE

(COMME PAR MAGIE, MA BEAUTÉ INTÉRIEURE APPARAÎT.)
☺ !!

FILLE MÉCHANTE, DANS LA MOYENNE (COMME MACKENZIE)

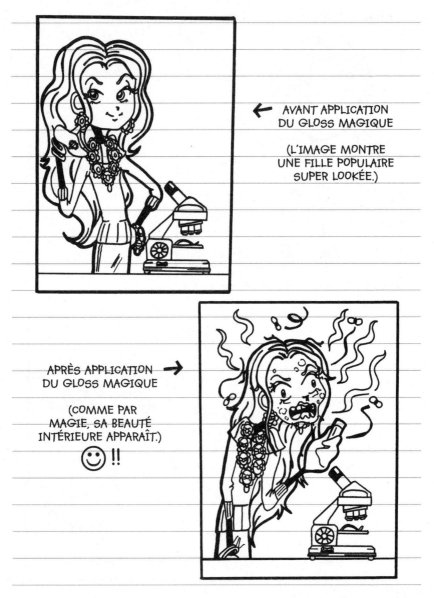

← AVANT APPLICATION DU GLOSS MAGIQUE

(L'IMAGE MONTRE UNE FILLE POPULAIRE SUPER LOOKÉE.)

APRÈS APPLICATION → DU GLOSS MAGIQUE

(COMME PAR MAGIE, SA BEAUTÉ INTÉRIEURE APPARAÎT.)

Après avoir passé des heures à étudier le phénomène du gloss magique et ses possibles effets, j'ai été à la fois stupéfaite et ravie par mes découvertes scientifiques :

Le GLOSS MAGIQUE ne va PAS à TOUT le monde. Dommage pour toi, Mackenzie ! ☺

En tout cas, j'espère que Brandon va m'appeler aujourd'hui.

Je FLIPPERAIS complètement s'il le faisait, mais je suis sûre qu'il ne le fera pas. Ce qui m'amène à me poser cette question CRUCIALE :

COMMENT SAVOIR SI UN MEC T'AIME BIEN S'IL NE PREND MÊME PAS LA PEINE DE T'APPELER ?

TEST DU BEAU GOSSE : observe attentivement les deux images qui suivent pendant 60 secondes. COMBIEN de différences remarques-tu ?

BEAU GOSSE QUI TE KIFFE

BEAU GOSSE QUI TE KIFFE PAS

RÉPONSE : AUCUNE! Ces deux mecs sont absolument IDENTIQUES!

Ce qui, malheureusement, signifie que le mec que tu kiffes t'ignore, qu'il te kiffe ou non!

ARRRGGGGHH!!!

(Moi, en train de m'arracher les cheveux de frustration.)

Par chance, ma MAV Chloë est une spécialiste des mecs et de l'amour. Tout ce qu'elle sait, elle l'a appris dans les magazines et les romans pour ados.

Quant à ma MAV Zoey, c'est une encyclopédie vivante et une adepte du développement personnel. Du haut de ses quatorze ans, elle pourrait expliquer la vie aux plus grands psys du pays!

Nous avons toutes les trois rendez-vous au centre commercial, demain, pour nous acheter des jeans. J'ai hâte de leur parler de mes histoires de mecs parce que, franchement, je ne sais plus où j'en suis!

SAMEDI 2 NOVEMBRE

Quelqu'un aurait-il l'obligeance de me dire POURQUOI
ma vie est si LAMENTABLE?! ☹

Même quand quelque chose FINIT par s'arranger,
c'est autre chose qui part COMPLÈTEMENT EN VRILLE!

Ma mère était censée m'emmener au centre commercial,
aujourd'hui, où je devais retrouver Chloë et Zoey. Alors
quand Maman m'a dit qu'il fallait que je garde Brianna,
ma petite sœur de six ans gâtée pourrie, pendant trois quarts
d'heure – le temps qu'elle aille acheter un nouveau grille-pain –,
j'ai HALLUCINÉ! ☹

Malgré sa jolie petite frimousse d'ange et ses baskets roses,
Brianna est en vérité un *bébé T-rex* shooté aux STÉROÏDES!

Pas moyen de discuter entre MAV avec ma *sœur*
dans les pattes!

Alors j'ai dit à Chloë et Zoey que j'essaierais de les retrouver
dès que ma mère aurait terminé ses courses.

J'ai cherché un endroit calme et confortable pour m'installer avec mon journal, puis j'ai demandé à Brianna de poser ses fesses sur le banc, à côté de moi, et de ne plus bouger.

↑
Moi, en train de surveiller Brianna (enfin, si on veut...).

Ça faisait à peine une minute (ou deux, ou cinq)
que j'avais quitté Brianna des yeux quand je me suis aperçue
qu'elle était en train de ramasser les pièces dans la fontaine
du centre commercial !

Heureusement que l'eau était tiède !

Ensuite, j'ai commis l'erreur de demander à Brianna
ce qu'elle faisait dans ce bassin. Elle a posé les mains
sur ses hanches et m'a jeté un regard impatient.

« Tu vois pas que c'est une urgence ? Une méchante sorcière
a enlevé la princesse Dragée. Et miss Plumette doit aller
récupérer ces pièces pour acheter un vrai bébé licorne
bien vivant et voler au secours de la princesse ! »

À question IDIOTE, réponse IDIOTE !

Je l'ai traînée hors du bassin et je l'ai forcée à y remettre
toutes les pièces qu'elle avait ramassées.

Bien sûr, elle était super en colère contre moi
parce que j'avais gâché sa petite chasse au trésor.

Pour la distraire, je lui ai donc proposé de faire un tour dans la galerie marchande, histoire de voir si on pouvait trouver quelque chose à MANGER, sur un stand de dégustation gratuite, par exemple. MIAM MIAM!

Alors elle a commencé à me prendre la tête pour que je l'emmène à Queasy Cheesy, un restaurant pour enfants qu'elle adore et où on sert des pizzas.

Franchement, je me demande pourquoi les gamins aiment autant cet endroit. On y voit d'immenses animaux en peluche animés qui dansent et chantent complètement faux.

Personnellement, je trouve ça super flippant, la façon dont ils roulent des yeux! En plus, le mouvement de leurs bouches n'est pas synchro avec leurs voix.

Je suis peut-être un peu tordue, mais qui a envie de manger dans un restaurant dont la mascotte est un rat galeux de 2 mètres qui galope dans tous les sens? Je m'en fiche, qu'il sache chanter « Happy Birthday to you » et qu'il distribue des ballons!

Pour moi, ce rat est presque aussi flippant que le méchant clown qui se cachait sous mon lit quand j'étais toute petite!

Mes parents disaient toujours qu'il n'existait que dans mon imagination, mais pour moi, il était BIEN RÉEL!

BOO!

Le méchant clown qui vivait sous mon lit.

OMG!! J'étais TERRORISÉE à l'idée qu'il m'attrape par les chevilles et me tire sous le lit, où je resterais PRISONNIÈRE pour l'ÉTERNITÉ.

Dieu merci, j'ai grandi et mûri, et je n'ai plus peur
de tous ces trucs de bébés complètement débiles !

Sauf, peut-être, les jours d'orage, ou quand la nuit est
très noire et que je vois des ombres étranges...

Bref ! J'ai dit : « Désolée, Brianna ! Je n'ai pas d'argent.
Il faut attendre que Maman revienne. »

Elle a commencé à pleurnicher : « Mais je peux payer, moi !
Avec l'argent que j'ai ramassé dans le bassin magique.
Je suis UN GENS RICHE, maintenant ! Et je veux aller
chez QUEASY CHEESY ! TOUT DE SUITE ! »

Brianna avait encore des pièces plein les poches !

Ma petite sœur N'ÉTAIT PAS « un gens riche ».

Mais elle avait assez de monnaie pour acheter une pizza
à la saucisse et deux boissons.

WOU – HOU !! ☺

La pizza était super bonne – pour une pizza de chez Queasy Cheesy en tout cas.

Au moment où nous finissions de la manger, une serveuse a tiré un numéro au hasard dans une boîte et s'est mise à crier d'une voix hystérique que les clients de la table 7 étaient les « heureux gagnants » choisis pour venir chanter sur scène...

Oh nooooon!! Devinez qui était assis à la table 7?
Brianna et moi!!

Il était hors de question que je monte sur scène,
devant tous ces gens, pour chanter une chanson débile.
Et je l'ai expliqué TRÈS CLAIREMENT à la gentille serveuse.

C'est là que Brianna est partie en vrille.

Elle a commencé à faire une scène, au beau milieu
du restaurant, et – j'y croyais pas! – elle A REFUSÉ
DE PAYER NOS PIZZAS!!!

OMG!

Je n'ai jamais eu aussi honte de ma vie!

J'ai commencé à paniquer parce que je n'avais en tout
et pour tout que 39 cents et des poussières dans ma poche.

Mais le plus OUF, c'est qu'à cause de la STUPIDE
plaisanterie de Brianna, on allait se retrouver
toutes les deux EN PRISON !

Eh OUI ! Je suis au courant : faire de la prison est
la nouvelle mode chez les jeunes people gâtés pourris.

Vous voyez le genre : la super it-girl-actrice-top-model qui réussit à être à la fois une ICÔNE et une vraie EX-TAULARDE avant d'avoir fêté son vingt et unième anniversaire !

Ces meufs se croient vraiment au-dessus des lois, parce que dans leur petite tête, le seul VRAI CRIME contre l'humanité, c'est...

• les contrefaçons de sacs à main ;
• les amiennemies ;
• les gens qui ne s'épilent pas les oreilles ni les narines.

Alors, en désespoir de cause, j'ai fait la seule chose qui me restait à faire.

Chanter « La pizza, je l'aime plus que ça ! » avec Brianna, pour qu'elle accepte de payer l'addition.

Dieu merci, le public se composait essentiellement de parents et d'enfants en bas âge, et je n'ai vu personne de mon collège.

Une fois sur scène, et après avoir surmonté ma gêne extrême et ma légère nausée (on ne sort pas indemne de chez Queasy Cheesy), je dois bien avouer que j'ai plutôt bien rigolé !

Le public avait l'air d'apprécier la performance,

alors Brianna et moi, on s'est vraiment

LÂCHÉES!

Quand on a enchaîné quelques pas de danse à la Beyoncé, les gens ont commencé à applaudir !

C'est alors qu'est arrivée la chose la plus HORRIBLE et la plus HUMILIANTE QUI SOIT...

MACKENZIE HOLLISTER !

Apparemment, elle venait juste de s'installer avec Amanda, sa petite sœur, et Jessica, sa MAV.

Jessica rigolait en me montrant du doigt, comme si j'étais la blague la plus drôle depuis l'invention des Carambar.

Et j'ai COMPLÈTEMENT pété les plombs en voyant Mackenzie sortir son portable et me prendre en photo !

J'ai attrapé Brianna et je l'ai pratiquement traînée hors de la scène.

Elle hurlait : « Noooon ! Lâche-moi ! La chanson n'est même pas finie ! On doit encore envoyer des baisers au public et... »

Hors d'haleine, j'ai soufflé : « Brianna, il faut y aller ! Maman nous attend déjà près du bassin ! »

Mais avant qu'on ait atteint la porte, Amanda s'est précipitée et a glissé une serviette en papier et un stylo dans la main de Brianna en disant : « C'est la première fois que je rencontre une VRAIE star en VRAI ! Je peux avoir un autographe ? »

Brianna était folle de joie : «Avec plaisir! Pour toi, ce sera GRATUIT! En plus, je vais te dessiner un vrai bébé licorne, mon bébé licorne. Quand je veux, je peux le chevaucher et m'envoler dans le ciel!»

Amanda a ouvert des yeux comme des soucoupes.

«C'est vrai? Tu as un bébé licorne pour de vrai?! Je peux le voir?»

Je n'en revenais pas d'entendre Brianna mentir comme ça. Je lui ai jeté un regard méchant, et elle m'a répondu en me tirant la langue.

« Euh... disons que je ne l'ai pas là avec moi, mais je vais aller en acheter un dès que ma maman aura trouvé un nouveau grille-pain. Au fait, tu sais pourquoi ? Parce qu'un débile mental a versé du jus d'orange dans celui que j'avais, et qu'il a explosé en faisant sauter notre maison. BOUM ! »

Alors j'ai crié : « Brianna, dépêche-toi ! On y va ! TOUT DE SUITE ! »

En fait, j'essayais juste de partir avant que Mackenzie vienne me parler. Hélas...

« OMG ! Nikki ! Tu m'as trop fait rigoler ! a-t-elle hurlé... Et tu sens encore plus mauvais que le vestiaire des garçons ! »

Jessica a ricané : « J'avoue qu'il faut du courage pour monter sur scène et s'humilier comme ça devant le MONDE entier ! »

Je me suis contentée de lever les yeux au ciel.

Je sais que je ne suis ni une chanteuse ni une danseuse professionnelle, mais le public avait paru nous apprécier. Depuis quand Mackenzie et Jessica se prenaient-elles pour des jurés de *La Nouvelle Star* ?

J'ai répondu : « Oh, ça va, vous deux ! Vous ne seriez même pas capables de reconnaître le talent, même s'il se présentait en personne, avec un badge avec son nom, et qu'il vous collait une gifle ! »

MacKenzie et Jessica me fixaient sans rien dire. Elles devaient être un peu surprises parce que, d'habitude, je les ignore ou je dis dans ma tête des choses que je suis la seule à entendre.

Mais il y a des limites au supportable.

Je ne voulais pas lâcher l'affaire, alors j'ai ajouté : « Au fait, il y a cinquante personnes ici, tout au plus. C'est ça que vous appelez "le monde entier" ? »

« Attends que j'aie mis ton petit show sur YouTube et ce sera le cas ! a répondu MacKenzie en ricanant et en agitant son portable sous mon nez. Nikki Maxwell, live au Queasy Cheesy !! Tu pourras ME remercier pour avoir lancé ta carrière de star de la LOSE ! »

MacKenzie et Jessica ont éclaté d'un rire hystérique, super fières de leur petite blague.

Je suis restée plantée là, complètement sonnée. MacKenzie était-elle vraiment capable de me faire une crasse pareille?

UN truc aussi... sinistre et aussi... vil?!

Soudain, je me suis vraiment sentie mal et mon estomac a commencé à émettre des gargouillis qui rappelaient un peu ceux de la fontaine de chocolat, à la fête d'anniversaire de MacKenzie.

J'avais l'impression que je venais de manger une chaussette de gym sale avec un grand verre de jus de cornichons pour faire passer!

Si je ne sortais pas d'ici immédiatement, MacKenzie et Jessica auraient une autre vidéo à poster sur YouTube : moi, en train de vomir sur leurs jeans griffés à 300 dollars pièce une vieille pizza et du jus de fruits coupé à l'eau!

Quand nous avons enfin rejoint Maman, elle était surprise de me voir si pressée de rentrer à la maison.

Je lui ai dit que je ne me sentais pas très bien et que j'avais annulé ma séance de shopping avec Chloë et Zoey.

Et me voici dans ma chambre, en train d'écrire tout ça
et d'essayer de ne pas **STRESSER**

comme une malade!!!

Parce que si MacKenzie poste cette vidéo sur YouTube...

OMG !

Appelez tout de suite le 15 parce que je vais avoir
une méga attaque cardiaque et mourir sur-le-champ!

DIMANCHE 3 NOVEMBRE

Ce qui s'est passé hier chez Queasy Cheesy m'a tellement déprimée que j'étais incapable de sortir de mon lit ce matin.

Et puis, je me suis dit : pourquoi me lever, après tout ?

Alors j'ai décidé de rester là, à FIXER le mur en boudant.

Bizarrement, m'apitoyer sur mon sort me fait toujours un bien fou ! ☺

J'ai fini par me lever vers midi et j'ai passé le reste de la journée sur YouTube. Je me connectais toutes les dix minutes. C'était plus fort que moi... J'étais complètement obsédée.

J'espérais que MacKenzie avait juste voulu me faire peur avec cette histoire de vidéo.

Elle ADORE me torturer comme ça.

À 20 h 30, j'en ai conclu que ce n'était qu'une méchante ruse pour me faire FLIPPER... Et que ça avait super bien marché!

MacKenzie est plus hargneuse qu'un pitbull et elle me déteste. Mais heureusement, elle n'avait pas osé aller aussi loin!

J'ai décidé de me connecter une dernière fois avant d'aller me coucher et d'oublier toute cette histoire...

C'était officiel.

NIKKI MAXWELL, LIVE

AU QUEASY CHEESY

était maintenant visible sur YouTube

pour le plus grand plaisir

du MONDE ENTIER!

Il y avait déjà sept vues !! ☹

J'étais **ANÉANTIE !!**

Il ne me restait plus qu'une chose à faire...

AAAAHHHHHH !!!

(C'est moi en train de hurler dans mon oreiller.)

Maintenant, il me faudrait affronter les autres, au collège,
tout en sachant qu'ils allaient tous me vanner dans mon dos!

Et qu'allait-il se passer avec Chloë, Zoey et Brandon,
les meilleurs amis que j'aie jamais eus?

J'étais horrifiée à l'idée de leur imposer une fois de plus
l'INNOMMABLE gâchis qu'est mon existence.

Dans ma tête, je me répétais en boucle
cette question obsédante :

POURQUOI MOI?!

☹

LUNDI 4 NOVEMBRE

Ce matin, il était hors de question que j'aille au collège
pour assister à mon exécution en ligne.

Alors je me suis levée à l'aube pour confectionner
une portion de mon horrible faux vomi spécial
je-sèche-les-cours-aujourd'hui.

Malheureusement, je n'ai rien pu faire, car nous n'avions plus
de flocons d'avoine. GÉNIAL !!! ☹

Quand je suis arrivée au collège, je m'attendais à me faire
allumer sans pitié, traiter comme une pauvre nouille et
bombarder de vannes à deux balles à cause du Queasy Cheesy.

Mais, à ma grande surprise, personne ne m'a parlé
de cette vidéo débile. MERCI MON DIEU ! ☺ Au lieu de ça,
tout le monde était super excité par le dernier buzz :
le concours annuel de talents du Westchester Country Day !

Il aura lieu le samedi 30 novembre et cette année,
c'est Trevor Chase, le célèbre producteur de *Mon quart
d'heure de célébrité*, l'émission de télé dont tout le monde

parle, qui sera président du jury. Il se trouve que c'est un ancien élève du WCD !

Il paraît que les prix sont top et que le vainqueur passera dans l'émission. C'est trop cool, non ?

Maintenant, Chloë, Zoey et moi, on est à fond sur ce concours de talents !

Nous avons déjà décidé de nous présenter ensemble.
Il ne nous reste plus qu'à savoir ce qu'on va faire exactement.
On va s'éclater, c'est clair ! ☺

Je donnerais tout pour être une chanteuse riche et célèbre !

POURQUOI ?

Parce que quand Nikki Maxwell, élève du WCD,
se comporte comme une fille chelou, mal élevée, crado
et complètement folle, tout le monde la déteste
et la traite de grosse LOSEUSE ! ☹

MOI, EN STAR DE LA LOSE QUI-N'A-PAS-GRAND-CHOSE-POUR-ELLE

Tandis que quand Nikki Maxwell, l'ICÔNE DE LA POP,

se comporte comme une fille chelou, mal élevée, crado

et complètement folle, elle a une foule de fans, gagne

des millions de dollars, tout le MONDE l'ADORE

et elle devient une LÉGENDE ! ☺

MOI, EN ICÔNE DE LA POP QUI-N'A-PAS-GRAND-CHOSE-POUR-ELLE

Aujourd'hui, je vais voir Brandon en cours de SVT!!!!

OUIIIIIIIIIII !! ☺

En fait, je vois Brandon TOUS LES JOURS en SVT.

Mais aujourd'hui est un jour très particulier parce que

c'est la première fois que je vais le revoir depuis

la soirée Halloween!!

Il m'a dit (une fois de plus!) qu'il était super content de la soirée qu'on avait passée ensemble... OUIIIIIIIII! ☺

Et vous savez quoi? Il a aussi proposé qu'on déjeune ensemble pour réviser les prochaines interros de bio! Je suis devenue rouge comme une tomate et j'ai suggéré qu'on commence le plus tôt possible.

DEMAIN, par exemple! ☺

Si j'ai dit ça, c'est que je prends mes études très au sérieux. Surtout les interros de bio!

Moi, en train de réviser studieusement toutes les matières à la fois!

Mais Brandon m'a dit qu'il ne serait pas libre pendant les deux prochaines semaines parce qu'il devait former un nouveau photographe pour le journal du collège.

Je lui ai souri : « Bon, eh bien... c'est pas grave ! »

Mais au fond de moi, j'étais un peu déçue.

J'ai commencé à me dire qu'il s'agissait peut-être d'une excuse bidon, qu'il n'avait pas envie de déjeuner avec moi et qu'il n'osait pas me le dire.

Alors j'ai décidé d'en parler à Chloë et Zoey.

Chloë m'a dit de ne pas m'inquiéter parce que c'est Brandon qui avait eu l'idée de se retrouver à l'heure du déjeuner pour réviser. Ce qui signifie qu'il était décidé à faire évoluer notre relation. Zoey était complètement d'accord.

SUPER TOP DÉLIRE !!! ☺

OMG ! J'ai failli zapper ! Il y a un nouveau truc qui risque de me donner des cauchemars : aujourd'hui, on a vu une bonne douzaine de fourmis se balader dans le labo de SVT !

MacKenzie a fait un scandale en disant qu'elle allait attraper des microbes, jusqu'à ce que le prof lui signale que si elle ne s'asseyait pas pour finir de rédiger ses observations, la note qu'elle attraperait serait bien plus gênante que quelques malheureux microbes!

Mais si le problème s'aggravait? Ça pourrait tourner à la véritable catastrophe! Le prof pourrait se plaindre à l'agent d'entretien, qui pourrait se plaindre au secrétaire, qui pourrait se plaindre au principal, qui pourrait se plaindre à...

MON PÈRE,

L'EXTERMINATEUR!!! ☹

PAS DE PANIQUE! Respire, respire!

BREF, avant que je change moi-même de sujet,
j'étais en train de dire que Chloë et Zoey pensaient
que Brandon m'aimait bien !

Et ces petites fourmis semblent partager leur avis !

MacKenzie est encore plus DIABOLIQUE que je l'imaginais!
Je me demandais pourquoi elle avait pris la peine de faire
cette vidéo de moi au Queasy Cheesy et de la poster sur
YouTube si c'était pour la garder SECRÈTE.

Ça n'a aucun sens, n'est-ce pas? Maintenant, JE SAIS
pourquoi elle a fait ça.

J'étais à côté de mon casier, en train de réfléchir
à des idées pour le concours de talents, quand j'ai été
brutalement interrompue.

«Quoi de neuf, Nikki? J'ai des super-news pour toi, ma belle!»

J'y croyais PAS! Mackenzie avait le culot de venir me parler
comme si on était copines alors qu'elle venait de ME POURRIR
LA VIE à peine trois jours plus tôt!

«Je suis en train de former un groupe pour le concours
de talents, et je cherche des super bons danseurs
avec un vrai potentiel de stars. Tiens, tout est écrit là!»

Avec un grand sourire, elle a battu de ses cils interminables en m'agitant un bout de papier sous le nez...

J'ai louché pour essayer de le lire.

Mais je n'y suis pas arrivée parce qu'elle a commencé
à l'éloigner, puis à l'approcher de mon visage.

Une fois... deux fois...

Trois fois, comme si elle voulait

M'HYPNOTISER...

J'ai compris tout de suite qu'elle mijotait un sale coup.

J'ai dû faire appel à toute ma volonté pour réprimer
ma nausée et ne pas me laisser éblouir par sa beauté
presque surnaturelle.

J'ai fini par lui arracher le papier des mains.

Tu es canon,
cool et talentueux ?

Tu aimes danser ?

Alors, rejoins
les MAC'S MANIACS,

la troupe de danseurs de la chorégraphe
MacKenzie Hollister, qui donnera
son premier spectacle à l'occasion
du concours de talents du WCD.

Les horaires d'entraînement
seront communiqués
ultérieurement.

Je la sentais pas, cette histoire de troupe de danseurs.

Pas du tout.

Pourquoi MacKenzie faisait-elle appel à moi?

Surtout après le D qu'on a récolté avec Chloë et Zoey,
quand on a fait la danse des zombies, en sport.

Et puis, il y avait aussi un autre petit problème...

ELLE ME DÉTESTE!!

En plus, après sa défaite humiliante au concours d'art, j'étais
certaine qu'elle préparait un plan diabolique pour prendre
sa revanche et gagner le concours de talents.

À moins qu'après avoir vu ma prestation au Queasy Cheesy,
elle ait soudain compris que j'avais un talent fou
et un immense potentiel?

Peut-être aussi qu'elle préférait m'avoir AVEC elle
que CONTRE elle?

En tout cas, tout ça me dépassait complètement.

C'est alors que j'ai commencé à me dire qu'en travaillant
ensemble, MacKenzie et moi, on arriverait peut-être
à mettre de côté nos différences pour faire ENFIN la paix?

Ce serait bien de ne plus avoir à subir ses insultes,
et aussi de savoir qu'elle s'occupe de ses affaires
et non des miennes.

J'ai même essayé de me convaincre que ce ne serait pas
si mal d'être copine avec MacKenzie.

À condition de supporter son agressivité.

Et son ego hypertrophié.

Et son addiction au gloss.

Et le fait qu'elle a le QI d'une plante en plastique.

Je me suis même surprise à essayer de m'imaginer
en train de faire le genre de trucs dont se vantent
les membres du CCC (le Club des filles Canon et super Cool).

Comme, par exemple, se prélasser sur la plage,
tout près de la super-maison de vacances de MacKenzie.

MOI DANS UN SUPER-MAILLOT DE BAINS, EN TRAIN DE FAIRE BRONZETTE SUR LA PLAGE, TOUT PRÈS DE LA MAISON DE VACANCES DE MACKENZIE!!!

Si j'avais une maison de vacances au bord de la mer, moi aussi, j'y inviterais mes amis!

J'ai finalement décidé de lui donner une chance.

Chloë, Zoey et moi, on va s'éclater comme des folles en dansant sur scène avec la troupe de MacKenzie.

Ce sera exactement comme notre ballet des zombies,
en MIEUX! Rien que d'y penser, j'ai ressenti une chaleur
diffuse, mais très agréable!!! ☺

MacKenzie a sorti son nouveau gloss, *Délice de diva décadente*,
en a appliqué une nouvelle couche et a planté ses yeux bleu
glacier dans les miens.

« Alors, Nikki, si tu connais des super bons danseurs
avec un vrai potentiel de stars, comme par exemple, euh...
CHLOË et ZOEY, donne-leur ce flyer, OK ? »

Comment ? Elle avait bien dit Chloë et Zoey ?

Alors comme ça, cette petite vipère blonde ne s'intéressait
qu'à Chloë et Zoey, et pas à MOI !

Bien sûr, je suis la première à reconnaître que mes MAV sont
d'excellentes danseuses, certainement parmi les meilleures
du collège.

Mais pour qui MacKenzie me prenait-elle ? DE LA VIANDE
HACHÉE POUR CHIENS ? DES HARICOTS BOUILLIS
DE LA VEILLE ?

J'avais l'impression qu'elle venait de me frapper avec une barre de fer.

J'ai bredouillé : « Euh... oui, pas de problème, je leur en parlerai. Mais toutes les trois, on avait envie de faire quelque chose ensemble pour le concours de talents. »

« Eh bien, il va falloir changer vos plans, alors ! Je veux vraiment décrocher cette audition pour *Mon quart d'heure de célébrité*. Et si Chloë et Zoey dansent avec moi plutôt qu'avec une naze dans ton genre, ce sera de la balle de remporter la victoire ! »

Je n'en revenais pas qu'elle ose me parler comme ça, en face !

« S'TE PLAÎT, MEUF ! ai-je lancé avec un de ces mouvements du cou que Victoria Beckham maîtrise à la perfection et que je me suis entraînée à reproduire des heures durant devant ma glace. Je sais pas si tu délires ou si tes barrettes sont si serrées qu'elles empêchent l'oxygène d'arriver jusqu'à ton cerveau, mais je te signale qu'on n'est pas tes esclaves, mes copines et moi ! Trouve-t'en d'autres pour jouer les pantins ! »

MacKenzie en marionnettiste

ZOEY

MOI

CHLOË

MacKenzie était si vénère que j'ai cru qu'elle allait me gifler avec sa nouvelle besace Vanessa Bruno.

«Je te préviens, Maxwell! a-t-elle sifflé. Si tu fais quoi que ce soit pour me contrarier, je m'arrangerai pour que tout le monde voie le petit spectacle que tu as donné chez Queasy Cheesy. Et tout le monde sera tellement MDR que t'oseras plus mettre les pieds au collège. Même tes pauvres potes Chloë, Zoey et Brandon auront honte d'être vus en ta compagnie ! »

« C'est un concours de talents, MacKenzie. Est-ce que ça t'est venu à l'idée d'essayer de gagner en te servant de... ton... TALENT ? Ou alors ça te pose un problème, parce que t'en as aucun, JUSTEMENT ? »

MacKenzie s'est avancée vers moi, les mains sur les hanches : « J'ai une meilleure idée... Je pourrais faire circuler un petit mot pour révéler notre grand secret : que tu n'as rien à faire dans ce collège, et que ton père... »

Je me suis mise à hurler : « VAS-Y ! Comme si j'en avais quelque chose à faire, de ce que les gens pensent de moi, dans ce collège ! »

La vérité, c'est que j'en ai quelque chose à faire. Et que ses menaces me faisaient tellement flipper que j'en avais des sueurs froides. Ma gorge était si serrée que je pouvais à peine respirer.

« Franchement, MacKenzie ! Pour moi, ce concours de talents, c'est pas super important, alors tes histoires, tu peux te les garder... »

« Eh bien, figure-toi que pour moi, c'est super important!
Je mérite mon quart d'heure de célébrité, et c'est pas toi
qui vas m'en priver! »

Puis elle a fait sa petite moue, a secoué sa tête en m'envoyant
ses cheveux dans le visage – genre je me la pète grave –
et a pincé son joli petit nez.

« OMG! Quelle odeur INFÂME? J'ai l'impression que
ton eau de toilette bon marché est en train de détruire
mon parfum haute couture. C'est quoi que tu as mis
ce matin? *Spaghetti bolognaise*? »

Je me suis contentée de serrer les dents en levant les yeux
au ciel. C'est un crime, de manger des spaghettis bolognaise
au petit déjeuner? On n'avait plus de céréales! ☹

Et là, MacKenzie s'est retournée et s'est éloignée en roulant
des fesses. Je DÉTESTE quand elle fait ça!

J'allais ouvrir mon casier quand j'ai été littéralement bousculée
par un groupe de CCC.
« OMG, MacKenzie! On vient d'apprendre, pour ta troupe
de danseurs! »

« Tout le monde sait que c'est toi qui vas gagner ! »

« Mac's Maniacs, c'est de la bombe ! Tu m'engages ? »

« Attends, attends ! »

Elles se sont précipitées derrière elle comme un troupeau de petites dindes sans cervelle... mais avec une bonne couche de gloss.

Je suis restée plantée là, devant mon casier, comme une idiote. Je me sentais si HUMILIÉE !

Mes yeux étaient remplis de larmes chaudes et j'ai fait de mon mieux pour les chasser.

Alors pour ne pas pleurer, j'ai commencé à déchirer le flyer de MacKenzie en mille morceaux.

Et je me suis dit que je n'adresserais plus jamais la parole à MacKenzie. Et que j'arrêterais de penser à ce concours débile !

Vivement que cette horrible journée se termine ! ☹

J'en ai tellement marre de me faire manipuler par MacKenzie que j'en **chialerais !**

Je n'arrive pas à croire qu'elle essaye de m'empêcher de participer au concours de talents.

C'est comme si elle était OBSÉDÉE par la victoire. Son ego est tellement énorme qu'il a des vergetures !

Je crois que ce que j'ai de mieux à faire, c'est de la fuir comme la peste. Ce qui ne sera pas facile, parce que mon casier se trouve juste à côté du sien.

J'ai décidé de ne pas parler de cette vidéo à mes parents – les choses sont déjà bien assez compliquées comme ça !

Ma mère en profiterait pour envoyer le lien par mail à un million de gens, en répétant à quel point on est douées, Brianna et moi. Et si charmantes, en plus !

Et bien sûr, si je parlais de cette vidéo à Chloë et Zoey, elles n'auraient qu'une envie : la voir...

Ce qui serait super gênant pour moi !!

Et si Brandon la voyait, lui aussi ? OMG !!

Je suis vraiment un méga-boulet ! ☹

NOTE À MOI-MÊME : continue à te connecter chaque jour sur YouTube pour voir combien de vues elle a obtenues.

Et comme si ça ne suffisait pas, aujourd'hui j'ai encore aperçu des nuisibles au collège. C'est la seconde fois en une semaine.

En allant me changer après le sport, j'ai compté neuf énormes punaises dans les vestiaires des filles.

Il y en a une qui s'est posée sur mes cheveux, et j'ai

FLIPPÉ comme une OUF !

Punaise

Évidemment, MacKenzie et ses copines se sont presque roulées par terre tant elles étaient MDR.

Dieu merci, Chloë et Zoey sont venues à ma rescousse. Ce sont les meilleures amies que j'aie JAMAIS EUES!

Si fou que ça puisse paraître, c'est à cause des cafards que
je ne m'habituerai jamais vraiment à ce collège. Parce que j'ai
UN SECRET, UN SECRET TRÈS TRÈS SOMBRE !!

Si j'ai pu intégrer ce collège super chic, c'est parce que,
dans son contrat de DÉSINSECTISATION des lieux,
mon père a négocié une bourse d'études pour moi.

OMG ! J'ai tellement honte que je n'en ai encore jamais parlé
à Chloë et Zoey.

En réalité, ça fait bientôt trois mois que je fréquente
le WCD et personne ici ne connaît mon secret.

Enfin, personne sauf... MacKenzie Hollister ! 😖 Et elle l'a
découvert tout à fait par hasard.

Un matin, j'étais en retard au collège et le seul moyen pour
m'y rendre était de monter dans la camionnette de mon père.
Je n'ai jamais aimé voyager avec mon père parce que
sa camionnette est vieille et a pas mal de trucs à revoir,
notamment le GIGANTÉNORME cafard posé sur le toit.

Dans la rue, les gens s'arrêtent pour le regarder.

Non seulement cette camionnette est immonde,

mais en plus dedans on se sent... bizarre.

Le jour où Papa m'a déposée devant le collège, j'étais trop contente d'en sortir et soulagée de ne voir personne dans les parages.

C'est alors que MacKenzie a surgi de nulle part comme un diable de sa boîte.

Quand je l'ai vue, là, devant moi, j'ai failli avoir une attaque !

On aurait dit un énorme point noir super moche et surinfecté qui aurait soudain poussé sur le nez de... ma vie !!

Elle m'a regardée d'un air choqué et a demandé : « C'est quoi, cet horrible truc sur le toit de ta camionnette ? »

Je me suis contentée de lever les yeux au ciel parce que, perso, je trouvais que c'était la question la plus DÉBILE qu'on m'ait jamais posée.

Pour n'importe quelle personne dotée d'un cerveau en état de marche, c'était une évidence : il s'agissait d'un cafard, et s'il se trouvait sur le toit de notre camionnette, c'était parce que... enfin, il avait une bonne raison d'être là... et ça ne regardait pas MacKenzie !

Mais le plus étrange, c'est que Mackenzie ne m'avait jamais reparlé de mon père avant hier.

Or c'est l'une des plus grosses commères de tout le collège.

J'ai entendu dire que MacKenzie était si riche qu'elle était née avec une cuillère en argent dans la bouche.

FAUX! MacKenzie a une si grande bouche qu'il fallait une pelle pour la remplir!

~~CUILLÈRE~~
PELLE
EN ARGENT

On ne peut pas faire confiance à cette fille!! 🙁

AU SECOURS! Il n'est que 7 h 30 et ma journée tourne déjà

au DÉSASTRE TOTAL!!

Je commence à me dire que changer de collège ne serait peut-être pas une mauvaise chose, après tout.

Ça ferait sans doute au moins une

HEUREUSE : MACKENZIE!

Je me suis levée très tôt, ce matin, pour finir mes devoirs de géométrie.

J'ai pris un bol de céréales aux fruits en pensant
à BRANDON...

Brandon,
mon rêve éveillé

Moi

... quand, soudain, le téléphone a sonné.

Quand j'ai compris qui appelait, j'ai failli avoir une crise
cardiaque, là, à la table du petit déjeuner !

MOI

CE QUE J'AI DIT : Allô...

CE QU'IL A DIT : Bonjour, ici M. Winston, le principal du collège Westchester Country Day. Nous avons récemment découvert des nuisibles dans nos locaux, et je suis un peu inquiet...

CE QUE J'AI DIT : (Gloups!) Euh... Ici la société Maxwell Désinsectisation. Nous sommes absents pour le moment, mais laissez-nous un message et nous vous rappellerons dès que possible. BIIIIIIIPPP!

CE QU'IL A DIT : Oui, ici M. Winston, le principal du collège Westchester Country Day. Nous avons un *sérieux* problème d'insectes dans notre établissement. Pourriez-vous passer à mon bureau demain pendant les heures de cours? Je vous en dirai plus à ce moment-là. Merci!

M. Winston

74

Encore sous le choc, j'ai raccroché et attrapé
mon stylo porte-bonheur pour écrire un message à Papa :

POUR : PAPA

URGENT ☒

DATE : Jeudi 7 novembre HEURE : 7 H 15

PENDANT VOTRE ABSENCE

DE : PRINCIPAL WINSTON

DE : COLLÈGE WCD

TÉLÉPHONE : TU L'AS DÉJÀ

A APPELÉ	☒	RAPPELER SVP	
EST VENU SUR PLACE		RAPPELLERA	
A RAPPELÉ		A DEMANDÉ À VOUS VOIR	☒

MESSAGE : Veut que tu ailles au
collège pour régler un problème d'insectes.
Passe à son bureau pendant les heures
de cours demain vendredi 8 novembre.

SIGNÉ : NIKKI ☺

C'est alors que j'ai réalisé toute l'HORREUR de la situation
et commencé à STRESSER COMME UNE MALADE !

NOOOOONNNN !

Moi, poussant
un cri d'horreur

OMG! OMG! OMG!

Le principal de mon # COLLÈGE

veut que MON père aille dans MON collège pour régler

un problème d'insectes !

Soudain, j'ai été prise d'une forte nausée, comme si

je venais d'avaler une pizza de chez Queasy Cheesy.

J'ai cru que j'allais m'évanouir.

En tout cas, au lieu d'attendre de mourir de honte

au collège, j'ai décidé de prendre les devants et d'en finir

tout de suite... ☹

... EN ME NOYANT !! ☹

... dans un bol de délicieuses céréales aux fruits ! ☹

Je sais, ça a l'air d'être une idée FOLLE. Mais je l'ai déjà

testée sur Pénélope, la poupée de ma sœur, et ça a marché.

Enfin, si l'on peut dire...

MOI, TENTANT DÉSESPÉRÉMENT DE NOYER MON CHAGRIN DANS MON BOL DE CÉRÉALES

Malgré tous mes efforts, je suis restée incroyablement VIVANTE.

J'étais tellement dépassée par la situation que j'avais envie de HURLER. Encore !

Mais c'était surtout à cause de la grosse cuillerée de flocons de maïs coincée dans mon nez.

OMG! J'ai éternué des bouts de fruits secs déshydratés et de corn flakes pendant 10 bonnes minutes d'affilée.

Il y en avait partout sur le mur et au plafond, où ils formaient comme un chapelet de crottes de nez colorées.

Je peux pas le croire : Winston attend mon père dans son bureau demain pour un RV spécial cafards!

JE VAIS CHANGER DE COLLÈGE avant que mon père me mette la HONTE TOTALE en se BALADANT en combinaison rouge (avec, soit dit en passant, mon nom écrit dans le dos) et en EXTERMINANT DES CAFARDS devant TOUS les élèves réunis! ☹

Tout le monde va penser qu'il a oublié de prendre son traitement.

J'ai officiellement déclaré mon collège

ZONE SANS PAPA !

PAS QUESTION QUE JE LUI TRANSMETTE CE MESSAGE !

Non, c'est juste PAS POSSIBLE !

Si Papa ne va pas à ce rendez-vous, M. Winston appellera quelqu'un d'autre.

De toute façon, je suis DÉJÀ boursière au WCD, alors qu'est-ce qu'il peut faire, le principal ?
Me virer, sans raison, à la moitié du semestre ? NON !

Demain, je vais mettre mes chaussettes porte-bonheur.

Ce ne sera pas de trop car j'ai vraiment besoin d'aide !

☹

Toute la journée, je n'ai été qu'une BOULE DE NERFS.

Je me sentais super coupable de ne pas avoir transmis le message à mon père.

Et surtout, j'avais une

PEUR BLEUE

de croiser M. Winston dans les couloirs.

Je n'ai rien contre lui personnellement. Bon, il est un peu bizarre, c'est vrai. Mais la PLUPART des profs et des principaux le sont.

Je veux dire : comment ne pas devenir COMPLÈTEMENT dingue après quinze ans passés dans un collège ?

Le simple fait d'y être ÉLÈVE pendant un an ou deux peut entraîner des dommages psychologiques sévères. ☹

En tout cas, j'avais peur que Winston me parle du rendez-vous avec mon père et des cafards du collège.

C'est alors que j'ai trouvé LA solution : porter un déguisement à la fois habile et discret, afin que M. Winston ne puisse pas me reconnaître.

Malheureusement, je n'avais pas grand-chose sous la main. Juste mon sweat à capuche qui-ne-vient-pas-du-centre-commercial (celui qui peluche), un peu d'imagination et une grosse dépression...

MOI, AVEC MON DÉGUISEMENT HABILE ET DISCRET

Non seulement mon déguisement était méga simple,
mais en plus il était confortable et ne m'a pas coûté un sou !

Heureusement, mon plan a fonctionné comme prévu. 😊

Quand le principal m'a croisée après le cours de français,
il aurait été incapable de dire que c'était MOI ! Et il n'a parlé
ni de mon père ni de son projet d'extermination,
DIEU MERCI ! 😊

Il m'a juste regardée d'un air surpris.
Sans doute parce que je le fixais
pour tester mon déguisement.

TIENS,
C'EST... ?

MOI EN TRAIN
DE FIXER
LE PRINCIPAL

Ensuite, M. Winston a fait quelque chose de vraiment
très étrange : il s'est éclairci bruyamment la gorge
et m'a demandé de sauter mon prochain cours pour aller
DIRECTEMENT dans le bureau de la conseillère d'orientation
– et y rester jusqu'à la fin de la journée !

Au début, j'ai cru qu'il me faisait une blague, mais
ensuite j'ai compris qu'il pensait sérieusement que j'étais
un peu dérangée !

C'est DINGUE, non ?

La bonne nouvelle, c'est que j'allais échapper à 4 heures
de cours. YESSSSSS !!! ☺

Bien sûr, j'ai retiré ma capuche AVANT d'entrer dans le bureau
de la conseillère. Je ne voulais pas qu'ELLE me prenne
pour une folle, elle aussi.

Nous avons discuté de mes résultats scolaires et passé
en revue l'emploi du temps du prochain semestre.
Après le déjeuner, elle m'a montré des films super chiants
sur les différentes filières professionnelles.

Les 4 heures ont passé assez vite et avant que j'aie le temps de dire «ouf», elle m'a donné un mot pour que je puisse retourner en cours.

Je voulais retrouver Chloë et Zoey pour leur raconter que le principal m'avait envoyée chez la CONSEILLÈRE D'ORIENTATION.

Mais le dernier cours était terminé, et c'était l'heure de rentrer à la maison. Bouhhhhhh!! ☺

Le plus drôle, dans cette histoire, c'est que M. Winston n'a prononcé À AUCUN MOMENT le nom de mon père! Et mon PÈRE n'est PAS venu à ce rendez-vous!

Grâce à ma stratégie sans faille et à mon habile déguisement, j'avais réussi à sauver cette journée!

Je suis GÉNIALE, non?!

☺

Aujourd'hui, ma mère nous a fait part d'une idée stupide :
elle voulait que nous passions du temps « en famille ».

Elle nous a expliqué patiemment que « passer des moments
agréables tous ensemble renforcerait l'amour, le respect
mutuel et les liens qui nous unissaient ».

À mon tour, je lui ai expliqué patiemment qu'il fallait
qu'elle arrête de regarder les émissions psy à la télé.

Puisque nous étions condamnés à passer du temps
« en famille », j'ai proposé que nous participions à une séance
de SPORTS EXTRÊMES, comme celles qu'on voit sur MTV.

Tu sais, le genre de sports où il faut porter un casque
avec des super-motifs dessus, comme des cœurs ou
des arcs-en-ciel. Avec ça, t'as vraiment la classe, même
quand tu te casses une jambe ou te fractures le crâne.

Je suis sûre qu'on s'éclaterait comme des oufs, tous les quatre,
si on allait faire du saut à l'élastique. En plus, c'est
très instructif !

LA FAMILLE MAXWELL SAUTE À L'ÉLASTIQUE

Bon, d'accord, ce n'est peut-être PAS une très bonne idée, cette histoire de saut à l'élastique.

Comme prévu, mes parents ont répliqué que les sports extrêmes étaient beaucoup trop dangereux.

J'ai trouvé cette excuse un peu nulle, parce que le temps passé « en famille » peut être dix fois plus MORTEL que tous les sports extrêmes réunis!

Comme l'activité qu'ils ont prévue pour aujourd'hui, par exemple.

Tout excités, mes parents nous ont annoncé au petit déjeuner que nous partions faire du canoë.

J'ai failli m'étouffer avec ma gaufre!
(Ça n'avait rien à voir avec le fait que nous allions faire du canoë. Mais je mange vraiment vite et il m'arrive très souvent de manquer m'étouffer avec ma nourriture.)

Mon père a acheté pour 3 dollars un vieux canoë tout cabossé dans un vide-greniers, et il veut absolument l'essayer avant que l'hiver arrive et que les lacs soient gelés.

J'ai dit : « Trois dollars ? T'es sérieux, Papa ? Tu dépenses plus que ça pour ton Egg Mc Muffin du petit déjeuner ! »

Mais j'ai dit ça dans ma tête, et personne d'autre que moi n'a entendu.

Il faut être complètement DÉRANGÉ(E) pour prendre le risque d'embarquer sa famille sur les eaux profondes à bord d'un canoë acheté seulement 3 dollars dans un vide-greniers !

Bon, d'accord, je reformule :

Quel FOU FURIEUX – à part mon père – ferait une chose pareille ? Je l'adore et tout, mais parfois je me fais vraiment du souci pour lui.

Même un petit canoë en plastique rose pour la poupée de Brianna coûte plus de 3 dollars !

Enfin, bon, ce n'est que mon avis...

LE CANOË DE PAPA
= 3 $

CANOË DE POUPÉE
= 17 $

Le plus flippant, c'est que Papa n'y connaît absolument rien en canoë.

Et comme celui-ci a été acheté dans un vide-greniers, nous n'avons ni manuel d'utilisation, ni garantie, ni rien de tout ça !

Quand je lui ai fait part de mes inquiétudes, Papa s'est contenté de lever les yeux au ciel en disant : « Pas besoin d'avoir fait Polytechnique pour trouver le bouton ON-OFF. »

Maman a fait des sandwichs au beurre d'arachide et à la confiture, Papa a chargé la voiture et nous avons roulé jusqu'à une immense plage très fréquentée par les kayakistes.

Comme je le redoutais, l'événement a rapidement tourné à la méga-cata.

Essentiellement parce que Papa n'a réalisé qu'il nous manquait des pagaies QU'UNE FOIS tout le monde sur l'eau.

Alors, il a tenté de s'en sortir en disant que SON canoë ne comportait ni pagaies ni bouton ON-OFF. (AH BON????)

Ce qui est sûrement la raison pour laquelle il ne l'a payé que 3 dollars.

Mais je n'ai pas pris la peine de rappeler tout ça à Papa parce qu'il était déjà de très mauvaise humeur.

Nous sommes restés là, à dériver sur le lac,
pendant ce qui m'a paru une éternité!

Heureusement, il faisait chaud pour la saison
et nous avons échappé à l'hypothermie.

Soudain, le visage de Papa s'est éclairé et j'ai compris
qu'il venait d'avoir une de ses idées FARFELUES.

Il a attrapé un gros bâton à la surface de l'eau, puis il a retiré
sa chemise, l'a attachée aux deux extrémités du bâton
et l'a laissée flotter au vent.

J'imagine qu'il essayait de transformer notre canoë
sans pagaies en voilier.

Mais son idée n'a pas fonctionné comme prévu
– c'est souvent le cas, avec mon père.

Quand le vent soufflait, le canoë tournoyait sur lui-même
très vite, comme certains manèges infernaux qu'on voit
dans les parcs d'attractions.

Bien sûr, cette situation nous avait tous mis de MAUVAISE HUMEUR. Mais, grâce à Papa, nous avions aussi le TOURNIS et le MAL DE MER!

Et Maman qui m'énervait encore plus!

Avec son optimisme à toute épreuve, elle essayait de nous redonner le moral en nous faisant chanter « Santiano ».

Alors, j'ai pété les plombs et hurlé : « Maman, tu délires, ou quoi ? "Si Dieu veut toujours droit devant, nous irons jusqu'à San Francisco !" Tu crois qu'on va y arriver, à San Francisco, si on continue à faire du surplace ?! »

Mais j'ai dit ça dans ma tête et personne d'autre que moi n'a entendu.

Et Brianna qui ne voulait PAS la fermer! J'ai dû me retenir pour ne pas l'étrangler.

Elle n'arrêtait PAS de pleurnicher pour des trucs complètement DÉBILES.

D'accord, j'aime beaucoup ma famille et tout, mais des fois ils me font penser...

... À DES CLOWNS ÉCHAPPÉS D'UN CIRQUE!

Heureusement pour nous, quelqu'un a aperçu la voile artisanale de Papa et a cru qu'il s'agissait d'un SOS.

Même si cette activité «en famille» avait bien mal commencé, je dois reconnaître qu'elle s'est révélée aussi excitante que n'importe quel sport extrême.

POURQUOI? Notre sauvetage par les gardes-côtes en hélico était trop COOL.

Ensuite, ils nous ont raccompagnés jusqu'à la voiture dans leur bateau fuselé et super rapide marqué POLICE, et c'était l'éclate totale!

En rentrant à la maison, j'ai eu la surprise de trouver un message de Chloë et Zoey.

«Hé, Nikki, qu'est-ce qui se passe? C'est nous, Chloë et Zoey! On t'appelle pour savoir si tu es disponible, aujourd'hui ou demain, pour répéter pour le concours de talents. Appelle-nous, on a hâte de commencer!»

Super! J'avais vraiment envie de travailler notre numéro avec elles. ☹ Mais je savais aussi que si je le faisais, MacKenzie me pourrirait la vie.

Tôt ou tard, je devrais dire à mes MAV que je ne pourrais pas répéter avec elles.

Mais j'étais si épuisée par notre sortie en canoë que je n'avais qu'une envie : prendre une bonne douche bien chaude et me glisser dans mon lit douillet.

J'ai donc décidé de le leur dire... plus tard!

Je me demande si Papa a enfin compris que les canoës n'avaient pas de bouton ON/OFF.

Maman et moi, on se prépare à sortir pour m'acheter de nouvelles fringues. J'y crois pas !

Je devrais remercier Brianna car c'est grâce à elle.

Tout a commencé quand Maman a donné à Brianna un chevalet et une boîte de peinture, afin de l'aider à « développer ses talents artistiques ».

Brianna s'est lancée et Maman a exposé ses œuvres un peu partout dans la maison.

Ce qui m'a vraiment fait flipper, c'est le grand portrait qu'elle a peint de MOI.

Je n'arrivais pas à croire que Maman l'ait collé sur le frigo, comme ça...

Et si un étranger entrait par hasard chez nous et découvrait ce portrait ?

Eh, ça pourrait arriver!

Mais ce portrait a surtout sérieusement malmené
mon amour-propre.

Je sais bien que je ne suis pas aussi canon que les filles
du CCC de mon collège. Mais est-ce que mon visage
a vraiment l'air d'être passé sous un bus?

Comme si ça ne suffisait pas, Brianna est assez peu soignée, comme artiste. Elle met de la peinture partout!

J'ai failli mourir en m'apercevant qu'elle avait peint sur mon T-shirt préféré.

OMG! J'ai pété les plombs.

D'accord, j'avoue : la tache sur mon T-shirt était
plutôt petite.

Mais j'ai vu dans une émission consacrée aux droits de l'enfant
que les parents sont responsables des dommages causés
à autrui par leurs enfants. Et c'est la LOI.

Bien sûr, ma mère a défendu Brianna, comme toujours.
Elle a dit : « Nikki, c'était un accident. Si elle met
de la peinture sur un de tes vêtements, je t'en achèterai
un nouveau, d'accord ? »

Je me suis contentée de la regarder puis de lever les yeux
au ciel.

« Ah oui ? Et si elle met de la peinture sur TOUS
mes vêtements, tu remplaceras la totalité de
ma garde-robe ? » Mais j'ai dit ça dans ma tête,
et personne ne m'a entendue.

Tout à coup, j'ai eu une idée géniale : j'ai décidé de stimuler la créativité de Brianna en lui trouvant des trucs à peindre.

J'ai commencé par lui donner mon T-shirt. Puis je suis montée dans ma chambre et j'ai fourré la plupart de mes vêtements dans un grand bac à linge.

Ça m'a fait beaucoup de bien d'aider ma petite sœur
à développer ses talents artistiques.

Quand Maman a découvert que Brianna avait peint
presque tous mes vêtements, elle a eu un choc.

Bien sûr, je ne lui ai pas dit que c'était MON idée ! ☺

Maman a d'abord tenté d'échapper à sa promesse.
Mais je lui ai rappelé qu'en tant qu'enfant, j'avais besoin
de prendre exemple sur mes parents et d'apprendre
l'importance de l'honnêteté, de l'intégrité, et du respect
de la parole donnée.

Bref, je lui ai répété le baratin entendu dans des émissions
de téléréalité.

En fin de compte, Maman s'est sentie tellement coupable
qu'elle a accepté d'honorer sa promesse.

Et me voici partie pour...

... une INTERMINABLE SÉANCE

DE SHOPPING!

Yessssssss!!! ☺

Au fait, j'ai fini par rappeler Chloë et Zoey.

Je leur ai dit que je regrettais que nous n'ayons pas pu
nous retrouver pour nous entraîner pendant le week-end,
et que nous pourrions nous donner RV le lendemain
à la bibliothèque, pour parler du concours de talents.

Ce qui signifie qu'il faut que je prenne une décision
d'ici demain!

Qu'est-ce que je vais faire?

Je suis complètement perdue! J'ai l'impression
que mon cerveau va exploser!

Tous les jours pendant l'heure d'étude, Chloë, Zoey et moi sommes dispensées pour aller travailler à la bibliothèque, où nous sommes ABS : « assistantes à la bibliothèque scolaire ». Nous ADORONS ce travail !

MOI, CHLOË ET ZOEY EN TRAIN DE TRAVAILLER TRÈS DUR POUR RANGER DES LIVRES (ENFIN, FAÇON DE PARLER...)

On a d'abord bien rangé tous les livres sur les étagères,
puis Zoey a proposé de réfléchir à ce que nous allions faire
pour le concours.

Et là, Chloë a commencé à délirer et à danser
comme une espèce de poulet fou.

CHLOË

Tout de suite, j'ai compris qu'elle venait d'avoir une idée
GÉNIALE.

« OMG ! OMG ! Je viens d'avoir une idée TROP TOP !
On pourrait inventer une chorégraphie super cool autour
des livres. On s'appellerait la COMPAGNIE DES TERMITES
DE BIBLIOTHÈQUE », s'est écriée Chloë. Parce que
les termites adorent le papier, c'est bien connu...

« OH OUI ! J'ADOOOORE ! a hurlé Zoey. On pourrait fabriquer
des costumes de termites vert fluo. Et on pourrait danser
le rap, aussi ! Qu'est-ce que tu en penses, Nikki ? »

J'ai répondu : « Écoutez, les filles, votre idée est vraiment
très amusante, mais il s'agit d'un concours de talents,
pas d'une parade de monstres ! »

Mais j'ai dit ça dans ma tête et je suis la seule
à avoir entendu.

Chloë et Zoey sont mes meilleures amies ! Mais elles sont
aussi les plus grosses nouilles de tout le collège
– après moi, bien sûr.

Alors, parfois, elles ont des idées... un peu nouilles, aussi !

L'IDÉE DÉBILE N° 1397 DE CHLOË ET ZOEY :
LES TERMITES QUI FONT DU RAP.

Mais c'est justement parce qu'elles ont des idées
un peu farfelues que je m'éclate autant avec elles !

J'ai pris une profonde inspiration et j'ai fait de mon mieux
pour leur répondre avec diplomatie.

« Euh... c'est une idée sympa, en fait, mais je dois vous annoncer une mauvaise nouvelle. Même si j'avais super envie de participer à ce concours, j'ai décidé de m'abstenir cette année. J'essaie de... passer plus de temps à travailler, vous voyez ? »

« Nikki ! Ce sera pas marrant si on le fait pas toutes les trois ! » a râlé Chloë, qui avait perdu son sourire.

Zoey avait l'air déçue, elle aussi. « Très bien ! Si tu ne veux PAS PARTICIPER à ce concours, alors moi non plus ! »

« Pareil pour moi ! » a lancé Chloë, mécontente.

J'ai répondu d'un ton qui se voulait convaincant : « Allez, les filles ! Vous pouvez faire ce rap ENSEMBLE ! Ce sera marrant quand même ! »

Mais je n'ai pas réussi à les faire changer d'avis.

On est restées toutes les trois comme ça sans rien dire pendant ce qui m'a semblé une ÉTERNITÉ.

Pour couronner le tout, j'ai commencé à me sentir coupable de les abandonner.

C'est Zoey qui a fini par briser le silence : « Nikki, t'es fâchée contre nous ou quoi ? »

« Bien sûr que non, voyons ! Qu'est-ce que tu vas t'imaginer ? j'ai répondu. Je serais plutôt fâchée contre moi-même. »

« Tu parles pas beaucoup, ces derniers temps. Il y a quelque chose qui ne va pas ? » a demandé Chloë en me dévisageant attentivement.

L'espace d'un instant, j'ai eu envie de leur ouvrir mon cœur, à toutes les deux.

De tout leur raconter : MacKenzie, le Queasy Cheesy, le concours de talents, mon père, ma bourse au WCD...

... TOUT, quoi !

Mais je me suis contentée de secouer vigoureusement la tête en me forçant à sourire.

« Mais non! Tout va bien! Je trouve juste dommage que
vous décidiez de ne pas participer, toutes les deux.
Je sais que vous aviez hâte de commencer à répéter. »

Chloë a haussé les épaules et a regardé par la fenêtre.

Zoey s'est mordu la lèvre et a baissé les yeux.

Alors je me suis rappelé que je faisais tout ça pour leur bien.
Je ne voulais surtout pas qu'elles souffrent à cause
de la guerre ouverte entre MacKenzie et moi.

Enfin, la cloche a sonné, après la cinquième heure de cours.

Chloë et Zoey avaient l'air tristes et abattues. J'ai eu
l'impression qu'elles avaient bien compris que je leur cachais
quelque chose.

Je me suis sentie.... SUPER MAL!

J'ai poussé un soupir et tenté de m'excuser : « Écoutez,
les filles, je suis VRAIMENT VRAIMENT désolée, OK? »

Quand Chloë et Zoey se sont levées, elles ont murmuré la même chose au même moment :

« OUAIS, OUAIS, D'ACCORD. »

Puis elles ont tourné les talons. ☹

Je crois que j'ai enfin trouvé l'origine du problème d'insectes que nous avons au collège !

Je ne suis pas un expert (contrairement à mon père), mais je trouvais bizarre de voir autant de bestioles se balader comme ça.

C'est là que ça devient OUF !

J'avais oublié mon devoir de français dans mon casier, et le prof m'a autorisée à aller le chercher.
Les couloirs étaient vides et silencieux.

J'aurais juré avoir entendu des CRIQUETS !

Et le son venait du
CASIER DE MACKENZIE !

Qu'est-ce que c'est que... ?!!

Je me suis hissée sur la pointe des pieds et j'ai essayé
de regarder par les petites fentes, en haut du casier.

J'ai cru apercevoir le couvercle d'une boîte ou un truc comme
ça. Mais il y avait sa grosse besace de cuir par-dessus.

C'est alors que j'ai eu la géniale idée de glisser ma règle
dans la petite fente pour pouvoir faire bouger des choses
et mieux voir.

Après quelques essais, j'ai réussi à pousser la besace.

J'ai bien vu un bocal de verre, juste derrière. Mais pas ce qu'il contenait.

À l'aide de ma règle, j'ai essayé de tirer le bocal vers la porte du casier pour l'examiner de plus près.

Mais je l'ai renversé sans faire exprès et il a heurté la porte du casier avec un « KLONK », et roulé sur la besace.

Alors, j'ai compris que le couvercle était sans doute mal vissé, parce qu'il est tombé tout de suite.

AÏE... Il était temps de retourner en cours !

Mais plus je réfléchissais à ma découverte, plus je sentais la COLÈRE monter en moi.

Oui, ça ne faisait aucun doute : c'était MacKenzie qui avait introduit en cachette tous ces nuisibles dans le collège !

Elle savait très bien que, tôt ou tard, le principal allait appeler mon père pour désinsectiser les lieux.

Et que ce jour-là, je m'effondrerais de honte !

Il était HORS de QUESTION que mon père mette les pieds au collège !

Et s'il me surprenait à traîner dans les couloirs pendant les cours ?!!

Il me dirait sans doute quelque chose de très gênant du style : « Salut, Nikki ! »

OMG ! J'en tomberais dans les pommes et j'en MOURRAIS !

Et tout le monde saurait que je suis la fille de l'exterminateur-fou-qui-kiffe-le-disco.

On murmurerait des trucs derrière mon dos et on me traiterait de MONSTRE !

Pas un monstre normal, mais un monstre mi-cafard, mi-nouille, ce qui est DIX FOIS PIRE !

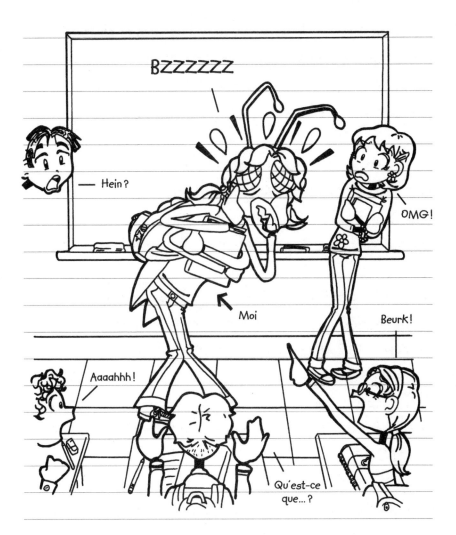

MOI, LE MONSTRE MI-CAFARD, MI-NOUILLE!

Ma vie serait complètement **FICHUE !!**

Et tout ça à cause de **MACKENZIE !** ☹

Mais, contrairement au concours de talents qui concernait aussi mes deux MAV, cette histoire-là ne regardait que MACKENZIE et MOI. Ce qui voulait dire que je pouvais la régler à ma manière.

Je me suis dirigée tout droit vers le bureau du principal pour lui parler du problème des insectes.

Mais je n'ai pas balancé MacKenzie! Oui, je sais, j'aurais dû!

Mais je savais d'expérience qu'elle allait se contenter de battre des cils d'un air innocent et de MENTIR COMME UNE ARRACHEUSE DE DENTS!

Et Winston la croirait, elle, parce que tous les adultes croient que MacKenzie est un petit ange parfait INCAPABLE de MENTIR.

En revanche, j'ai parlé à Winston d'un sujet NETTEMENT plus important que les petites histoires de gamine de MacKenzie.

Notre conversation s'est déroulée exactement comme je l'avais prévu.

Il m'a dit que j'avais bien fait de venir le voir et m'a demandé comment je m'intégrais au collège.

Alors j'ai pris une profonde inspiration et je suis allée droit au but : « Eh bien, monsieur le principal, je dirais que je vais bien pour quelqu'un qui a son casier à côté de celui de MacKenzie Hollister, mais je suis totalement larguée en géométrie. En tout cas, ce que je suis venue vous dire, c'est que comme mon père est débordé en ce moment, il vaudrait mieux que vous appeliez un autre désinsectiseur. Je suis certaine qu'il est content de travailler avec vous, mais il est vraiment surbooké. »

Le principal a cligné des paupières. Puis il a retiré ses lunettes, a croisé ses bras sur sa poitrine et a hoché lentement la tête.

« Ah oui ? Je me demandais aussi pourquoi ton père n'était pas venu vendredi dernier. Je me suis dit qu'il n'avait peut-être pas reçu le message que j'ai laissé sur son répondeur. Quelle coïncidence que tu sois passée justement ce matin, car j'avais l'intention de le rappeler dans l'après-midi. »

« Eh bien, si vous voulez mon avis, ce n'est pas la peine.
Il travaille tellement qu'il n'a pas dormi depuis... euh... trois
ou quatre jours. Et puis, ce serait mieux pour ses...
vous voyez, enfin ses problèmes de vésicule, si vous preniez
quelqu'un d'autre. »

M. Winston est resté là, sans bouger, à me regarder
d'un air perplexe. Puis il a posé les yeux sur son téléphone.

Alors je me suis levée, j'ai plaqué un sourire sur mon visage
et je lui ai serré très chaleureusement la main.

« Monsieur le principal, je... je ne veux pas vous déranger
plus longtemps. Je sais que vous êtes très occupé. Et puis,
je viens d'entendre sonner l'heure du déjeuner et j'ADORE
les super-plats que votre cuisinier nous concocte avec amour.
Je suis vraiment très heureuse d'avoir pu discuter
un peu avec vous ! »

« Moi aussi, merci, Nikki », a-t-il dit en se raclant la gorge.

Je suis partie sans demander mon reste !

Dans le couloir qui mène à la cafétéria, j'avais l'impression qu'on venait de m'ôter un énorme poids des épaules.

Winston allait appeler un autre exterminateur, et mon secret serait de nouveau bien gardé.

Le problème était résolu !

Quand j'ai ouvert la porte de la cafétéria, une douzaine de filles du CCC me sont passées devant comme des fusées, en hurlant.

À l'intérieur, c'était le

CHAOS ABSOLU !

J'ai tout de suite repéré MacKenzie, debout sur une table, en train de crier comme une hystérique. Elle montrait quelque chose par terre, devant le buffet des salades.

Tout de suite, j'ai pensé à un serpent ou à une souris.

Mais connaissant MacKenzie, je me suis dit qu'il pouvait tout aussi bien s'agir d'un truc SUPER AFFREUX comme, par exemple, un pantalon en polyester rouge. En fait, je n'ai pas vraiment été surprise de découvrir...

... LA GRANDE BESACE EN CUIR DE MACKENZIE!

C'est là que j'ai compris que ma première intuition avait été la bonne.

Il y avait VRAIMENT des criquets dans ce bocal!

Le seul sujet de conversation de ces derniers jours,
au collège, c'est ce stupide concours de talents.

Et ça commence vraiment à me prendre la tête!

Les gens s'entraînent avant les cours, après les cours,
et même pendant la pause déjeuner.

Je serai SUPER CONTENTE quand tout ça sera terminé!

Je m'attendais à ce que MacKenzie demande à Chloë et Zoey
de rejoindre sa troupe de danseurs, alors je n'ai pas été
surprise de la voir s'approcher d'elles après le sport.

Mais j'ai été surprise, en revanche, de voir Chloë et Zoey
refuser sa proposition.

Elles lui ont dit que si je ne participais pas au concours,
elles non plus ne s'inscriraient pas. J'arrivais pas à le croire :
mes MAV ont carrément dit à MacKenzie qu'elle pouvait
se mettre sa troupe de danseurs où je pense!

Quand elle a compris que son plan tombait à l'eau,
MacKenzie les a regardées, bouche bée.

Elle a dû lire la grimace sur mon visage, parce qu'elle m'a jeté
un regard super mauvais pendant que je battais innocemment
des paupières, genre « QUOI, QU'EST-CE QUE J'AI FAIT ? »

Quand j'ai vu, ou plutôt entendu, le coup de p... que MacKenzie
a lancé pour se venger, je n'y croyais pas.

« OK, les filles, je ne vais pas vous mentir, a-t-elle dit à Chloë
et Zoey avec un clin d'œil appuyé. Jason et Ryan m'ont suppliée
de vous demander de nous rejoindre. Ils ont SUPER ENVIE
d'être vos partenaires. J'ai promis de ne pas vous en parler,
mais ces deux mecs sont raides dingues de vous ! »

Aucun doute : MacKenzie mentait comme elle respirait,
et elle faisait juste semblant de jouer les marieuses
pour attirer Chloë et Zoey.

Hélas, elles l'ont crue et ont complètement pété les plombs.
Elles ont commencé à sauter partout en criant
comme des oufs !

Je n'ai pas eu le cœur de leur révéler que MacKenzie était une menteuse compulsive et que Jason et Ryan étaient probablement au courant de ses petites magouilles.

J'ai jeté un regard incendiaire à MacKenzie, et cette fois, c'est elle qui a battu innocemment des paupières et m'a lancé : « QUOI, QU'EST-CE QUE J'AI FAIT ? »

J'étais tellement en colère que j'aurais pu cracher par terre ! J'aurais voulu gifler cette peste pour lui apprendre à jouer comme ça avec les sentiments de mes copines.

Quant à ces deux mecs, ils avaient DÉJÀ BRISÉ LE CŒUR DE MES DEUX MAV en invitant des pom-pom girls à la soirée Halloween à leur place !

Et maintenant, ils voulaient danser avec elles ? Comment MacKenzie pouvait-elle être aussi... aussi... NUISIBLE !

Ce qui m'inquiétait surtout, c'est que ni Chloë ni Zoey n'étaient encore vraiment remises. Elles étaient encore complètement

IN LOVE !! ☹

LES BONNES NOUVELLES DU DOCTEUR NIKKI

« Alors, les filles, d'après les résultats de vos tests, il semblerait que vos crises AMOUREUSES sévères puissent être soignées grâce à un traitement adapté. »

LES MOINS BONNES NOUVELLES DU DOCTEUR NIKKI

« Malheureusement, après traitement, vous ne pourrez plus vous asseoir pendant une semaine. Maintenant retournez-vous, fermez les yeux et comptez jusqu'à 10 ! »

MacKenzie n'avait pas hésité à exposer Chloë et Zoey
à une nouvelle crise AMOUREUSE AIGUË, et tout ça
dans son seul intérêt. Cette fille n'a vraiment pas de CŒUR!

Les répétitions commencent demain.

Je ne verrai probablement pas beaucoup mes MAV
dans les semaines à venir, parce qu'elles seront
très occupées avec MacKenzie et les filles du CCC.

C'est pas que je sois jalouse, non, pas du tout.

Je suis pas une gamine, quand même!

☹

JEUDI 14 NOVEMBRE

OMG !!

Je n'arrive pas à croire que j'aie pu créer un tel

B... !

Je ne pouvais pas deviner que les choses allaient tourner de cette manière.

QU'EST-CE que je vais faire maintenant ?

Je crois que je vais

VOMIR !

C'est pourquoi j'ai demandé à Mme Sprague, ma prof de maths, de m'autoriser à aller aux toilettes.

Moi

MOI, AUX TOILETTES,
SUPER INQUIÈTE & SUPER MALADE!!

Alors, voilà ce qui se passe...

En rentrant du collège hier soir, je me suis arrêtée

pour relever le courrier.

Il y avait une lettre du collège pour mes parents
et je me suis imaginé qu'il s'agissait de mon bulletin.

Mais quand je l'ai ouverte, j'ai eu immédiatement
une crise cardiaque en découvrant... mes frais de scolarité !!

Comment je l'ai su ?

Eh bien, c'était écrit en très grosses lettres :

FRAIS DE SCOLARITÉ DE NIKKI MAXWELL

Et en dessous figurait une somme en dollars tellement
COLOSSALE que j'ai cru que mes yeux allaient exploser
rien qu'en la lisant.

J'aurais pu essayer de régler cette facture avec mon argent
de poche, mais ça m'aurait pris 1 829,7 ans ! 😞

MOI, EN TRAIN D'ESSAYER DE DÉCHIFFRER LA FACTURE AVEC MES YEUX EXORBITÉS!

J'ai d'abord cru qu'il s'agissait d'une erreur!

Mais la seule explication logique était que j'avais fait une énorme bêtise en refusant de transmettre le message de M. Winston à mon père.

Ensuite, comme une idiote, je m'étais précipitée dans le bureau du principal pour lui dire que mon père était trop occupé pour venir travailler au collège ! Et maintenant, on me SUPPRIMAIT ma bourse d'études !

J'aurais dû y penser plus tôt !! Mes parents n'avaient absolument pas les moyens de payer cette facture.

Soudain, j'ai compris : MacKenzie m'avait piégée en beauté !

Son plan de génie n'était pas de faire venir mon père au collège pour exterminer les insectes qu'elle y avait elle-même lâchés – et me coller la honte...

NON, pas DU TOUT. Dans son cerveau diabolique, elle avait échafaudé un plan bien plus tordu que ça !

Ce qu'elle voulait, c'était que j'empêche mon père de venir au collège pour exterminer les insectes qu'elle y avait elle-même lâchés.

Comme ça, je perdrais ma BOURSE et serais VIRÉE du WCD !

Elle savait très bien que j'allais péter les plombs et que je ferais tout pour que mon père ne se pointe pas au collège.

Pour résumer, elle m'avait poussée à faire moi-même
mon propre malheur.

MacKenzie Hollister était un

GÉNIE DIABOLIQUE !

Quant à moi, je n'étais plus boursière et n'avais pas un sou
pour payer mes frais de scolarité.

MA situation était DÉSESPÉRÉE !

Je suis restée assise là, sur le sol glacial des toilettes,
et j'ai senti un épais nuage d'angoisse descendre sur moi
tel un brouillard putride, m'empêchant de respirer
et de penser normalement.

Submergée par une émotion bouleversante (et assaillie
par l'horrible odeur des toilettes du collège), j'ai commencé
à envisager l'impensable.

Je voulais en finir avec mes problèmes.

Alors j'ai décidé d'en finir ici même, en...

... DISPARAISSANT PAR LE TROU DES TOILETTES! ☹

Mais hélas, j'étais beaucoup trop grosse pour passer par ce petit trou.

C'est alors que j'ai remarqué l'affiche jaune fluo scotchée sur la paroi de la cabine.

Il y en avait plein sur les murs du collège, depuis des semaines, mais avec toutes ces histoires avec MacKenzie, je n'avais pas pris le temps de les lire...

TU SAIS CHANTER, DANSER, OU TU POSSÈDES UN TALENT PARTICULIER QUE TU AIMERAIS PARTAGER?

Alors viens t'inscrire à la 10e édition du

CONCOURS DE TALENTS DU WCD

Samedi 30 novembre à 19 H 30

Le jury sera présidé par Trevor Chase,
un producteur mondialement connu et ancien élève du WCD.

À gagner :

- Une audition pour l'émission *Mon quart d'heure de célébrité*
- Des bourses d'études au WCD
- Un ordinateur portable
- Des iPads

(et bien d'autres choses encore)

LE BULLETIN DE PARTICIPATION DOIT ÊTRE REMPLI
ET DÉPOSÉ AVANT LE VENDREDI 22 NOVEMBRE AU SOIR
(le non-respect du règlement entraînera
la disqualification des candidats).
Pour les détails, s'adresser au bureau du collège.

Il a fallu que je lise cette affiche genre deux ou trois fois avant de tout comprendre.

Le WCD offrait des BOURSES d'ÉTUDES!

Oui, je sais, j'avais juré de ne pas participer au concours de talents, mais les choses avaient changé.

Je suis désespérée.

Mais à quel point, au juste?

À FOND À FOND À FOND À FOND À FOND À FOND
À FOND À FOND À FOND À FOND À FOND À FOND
À FOND À FOND À FOND À FOND À FOND À FOND
À FOND À FOND À FOND À FOND À FOND À FOND
À FOND À FOND À FOND À FOND À FOND À FOND
À FOND À FOND À FOND À FOND À FOND À FOND
À FOND À FOND À FOND À FOND À FOND À FOND
Oui, je suis VRAIMENT

DÉSESPÉRÉE...

☹

Juste au moment où je pensais que les choses ne pouvaient pas être pires, j'ai compris que... JE ME TROMPAIS !

Aujourd'hui, j'ai sauté le déjeuner parce que je voulais parler à Brandon.

Je ressens vraiment le besoin de raconter à quelqu'un ce qui va de travers dans ma vie en ce moment, comme par exemple...

TOUT!! ☹

Je ne peux pas me confier à Chloë ou Zoey : elles sont trop occupées à répéter avec Jason et Ryan pendant la pause de midi.

Je considère toujours Brandon comme un bon copain même si, ces derniers temps, il est tellement pris que nous nous sommes à peine parlé depuis la soirée Halloween, il y a deux semaines.

Quand je discute avec lui, j'ai toujours l'impression que mes pensées s'ordonnent de manière plus logique.

Mais je voulais surtout lui parler de mon père, de ma bourse
supprimée et du fait que je devrais sans doute bientôt
quitter le WCD.

Je n'en peux plus de faire comme si tout allait bien
alors que c'est pas vrai!

Et je ne me fais pas d'illusions : je sais très bien que MacKenzie
ne va pas tarder à raconter ma life à tout le collège.

Hé! Écoutez tous... Mon père est un exterminateur d'insectes,
et si je fréquente ce collège, c'est grâce à une bourse d'études!

Et alors? C'est la PURE VÉRITÉ, non?

Pourquoi faudrait-il que j'en aie honte?

C'est pas parce que ça pose un problème à MacKenzie
que ça doit m'en poser un, à MOI.

Alors je me suis précipitée au bureau du journal,
car c'est là que Brandon passe le plus clair de son temps.
En ce moment, il forme un nouveau photographe.
Et en effet, je l'ai trouvé très occupé...

AVEC MACKENZIE!

Je me suis toujours demandé si Brandon me kiffait ou non.
Eh bien, maintenant, je le sais.

IL NE ME KIFFE PAS!

Je pense qu'il se sert de moi depuis le début pour rendre
MacKenzie jalouse, ou un truc du genre.

Je n'ai pas supporté de la voir faire la belle
comme un petit caniche.

« Oh, Brandon ! » par-ci, et « Oh, Brandon ! » par-là...

OMG ! Elle était si MIELLEUSE que j'ai cru que sa cervelle
allait lui couler par les oreilles comme du sirop
et former une flaque sur le sol.

Elle est plus IN LOVE de lui que JAMAIS !

Au fait, DEPUIS QUAND s'intéresse-t-elle à la photo ?

Sans doute depuis qu'elle a décidé que BRANDON serait
son PROF PARTICULIER !

Et vous savez quoi ? Elle ne LIT même pas le journal
du collège, parce qu'il n'a pas de rubrique Mode & Déco.
C'est la seule chose qui l'intéresse, quel que soit le journal.

Cette fille est un BOULET !

J'ai juste eu le temps de tourner les talons et de sortir de la pièce avant qu'ils m'aperçoivent.

Si Brandon veut MacKenzie, qu'il la garde !

SAMEDI 16 NOVEMBRE

Ma vie est un tel CHAMP DE RUINES !

Toute la journée, je me suis sentie SUPERdéprimée
et coupable.

J'ai finalement pris la décision d'être honnête vis-à-vis
de mes parents et de TOUT leur RACONTER.

Et s'ils me punissaient jusqu'à mon vingt et unième
anniversaire ?

J'ai dit : « Maman, Papa, je peux vous parler une minute ?
C'est vraiment important. »
« Bien sûr, ma chérie, mais ça peut attendre un peu, non ?
La soirée est si belle, si claire que ton père et moi,
nous avons décidé de vous faire une petite surprise... »

GALÈRE... Le moment était vraiment mal choisi
pour passer du temps « en famille ».

C'est alors que Papa a failli me renverser en déboulant par la porte de derrière avec un gros bidon d'essence et une boîte d'allumettes.

Je délire, ou la plupart des pères ont des tendances pyromaniaques ?

Ils adorent faire griller des aliments, allumer des barbecues ou des feux de camp, brûler des feuilles ou faire des trucs avec du feu...

PAPA, QUAND ON DEMANDE À QUELQU'UN D'AUTRE D'ALLUMER LE FEU

PAPA, QUAND ON LUI DEMANDE D'ALLUMER LE FEU

C'est quoi, cette manie ?

Bon, alors ce soir, Papa avait décidé de préparer un feu de camp dans le jardin pour y faire griller des chamallows. Et Maman avait acheté des biscuits et des barres chocolatées pour qu'on puisse faire des S'MORES – un truc que j'adore !!

J'avoue, j'étais impatiente de me goinfrer de ces friandises brûlantes, collantes et dégoulinantes de chocolat.

Pas mal, comme activité familiale, et plutôt marrant, n'est-ce pas ? En effet...

On s'est bien amusés, jusqu'à ce que Papa, qui pensait
à autre chose, fasse brûler sa brochette de chamallows.

Quand elle a pris feu, il a carrément paniqué.

On aurait dit qu'il tenait un *kébab* géant dans la main.

Il remuait son bâtonnet dans tous les sens pour essayer
d'étouffer la flamme.

Ensuite, les chamallows ont commencé à se détacher
de la brochette et à partir quasiment en orbite.

OMG! On aurait dit une pluie de météorites illuminant
le ciel nocturne, ou un truc du genre. C'était plutôt marrant,
je trouve!

MA FAMILLE EN TRAIN DE FAIRE GRILLER DES CHAMALLOWS

Au milieu de toute cette agitation, l'un des chamallows
en feu est venu se coller sur le pantalon de Papa.
Évidemment, Brianna a pété les plombs et s'est mise
à hurler comme une folle !

Rapide comme l'éclair, Maman a attrapé le seau d'eau
que Papa avait placé près du barbecue et a arrosé
le pantalon juste au moment où il commençait à prendre feu.
Heureusement, Papa n'a pas été brûlé.

C'est alors que Mme Wallabanger, notre voisine,
qui est curieuse comme une vieille chouette, est sortie
pour voir ce qui se passait.

Papa a tenté de lui expliquer qu'il avait eu un petit accident
avec les chamallows grillés.

Mme Wallabanger s'est contentée de le regarder de cet air
vaguement dégoûté qu'elle prend toujours dans ces cas-là.

Elle a fait la leçon à Papa en lui disant qu'il devrait avoir
honte et l'a menacé d'appeler la police.

Puis elle est rentrée chez elle en claquant la porte,
mais nous l'avons vue nous épier derrière ses rideaux.

On s'est tous demandé pourquoi Mme Wallabanger
se comportait d'une manière aussi étrange.

Jusqu'à ce qu'on s'aperçoive, en regardant Papa de plus près, que son pantalon était, disons... mouillé.

Alors, on a compris pourquoi Mme Wallabanger a complètement flippé quand Papa lui a dit qu'il avait eu un « petit accident » dans le jardin.

Finalement, nous avons décidé d'abréger notre soirée, et Papa a jeté de la terre sur le feu pour l'éteindre.

Comme le pantalon de Papa était mouillé, sale, plein de chamallows et un peu carbonisé, Maman lui a demandé de l'enlever dans le garage et de le mettre au sale.

Puis elle s'est précipitée à l'étage pour aller lui chercher un pantalon propre.

Quand Maman est revenue dans le garage pour donner son pantalon à Papa, Mme Wallabanger ne s'était TOUJOURS pas calmée, et nous avons entendu du bruit dans l'allée.

On aurait dit que Papa était en train de se disputer violemment avec quelqu'un.

Une femme tentait de le convaincre qu'elle était là pour l'aider. Mais Papa insistait et lui criait qu'il ne VOULAIT pas de son aide et n'en avait PAS BESOIN.

C'est alors que la dame a dit : « Monsieur, laissez-moi vous aider à retrouver votre pantalon ! »

← Papa

OMG! J'ai eu un choc en voyant qu'il s'agissait d'un officier de police! Mais je dois reconnaître qu'elle avait raison, pour le pantalon.

C'est alors que Papa a commencé à s'énerver et a dit à la policière qu'il n'appréciait pas trop sa plaisanterie.

Mais celle-ci lui a répondu qu'il fallait qu'il se calme et qu'il l'accompagne au poste.

J'étais sûre que Papa allait se faire arrêter.

Heureusement, Maman s'est précipitée pour tout expliquer : les chamallows en feu, le seau d'eau, et... Papa en caleçon.

Une fois que la gentille policière a été convaincue que Papa n'était pas du genre à traîner dans les rues en petite tenue, elle s'est excusée et est partie.

Même si la soirée avait tourné au désastre absolu,

Maman a insisté pour que nous prenions une photo,

pour notre album de famille.

Pour lui faire plaisir, nous avons tous posé dans la cuisine,

un biscuit à la main et un sourire plaqué sur les lèvres.

« NOTRE SOIRÉE CHAMALLOWS GRILLÉS EN FAMILLE »
(PENDANT LAQUELLE LE PANTALON DE PAPA
A PRIS FEU ET OÙ IL A FAILLI FINIR AU POSTE).

C'était la pire soirée « en famille » de tous les temps!

Comme nous étions tous un peu traumatisés par cette histoire de chamallows et que Papa était encore SUPER VÉNÈRE à cause de la femme policier, j'ai décidé que ce n'était pas du tout le bon moment pour aborder la question de mes frais de scolarité.

Je leur dirai peut-être demain. Sinon, je peux toujours faire une fugue et rejoindre un cirque... ☹

DIMANCHE 17 NOVEMBRE

Je suis restée éveillée une bonne partie de la nuit, à tourner et retourner dans mon lit, en essayant de trouver une solution à mes problèmes.

Quand je suis arrivée au WCD, je n'aurais jamais pensé que j'aurais envie de rester dans ce collège.

Mais j'ai l'impression que je me suis vraiment attachée à cet endroit.

Chloë, Zoey et moi sommes devenues super-copines. Puis j'ai gagné le concours d'art, Brandon m'a invitée à l'accompagner à la soirée Halloween... Et voilà qu'à cause de MacKenzie, tout a changé. ☹

Et il faut absolument que je trouve un moyen d'arranger les choses.

J'ai le choix entre DEUX solutions :

1. Abandonner et changer de collège. Ce qui signifie que je vais devoir subir un NOUVEAU BIZUTAGE! ☹

2. Braquer une banque pour payer mes frais de scolarité. Ce qui, malheureusement, marquerait le début de ma vie de délinquante.

MOI, EN CRIMINELLE SANS SCRUPULES

Au lieu de passer 4 ans au lycée et 4 ans dans une grande université, je purgerai 8 ans de prison pour vol à main armée.

Et quand je me marierai et que j'aurai mon premier enfant, le pauvre petit suivra mon exemple et deviendra un délinquant juvénile en COUCHES !

Et pendant que je moisirai en prison (et ferai des séances
de manucure avec les camarades de cellule), je réaliserai que
j'ai gâché ma vie et je regretterai amèrement de ne pas avoir
transmis le message de M. Winston à Papa !

En tout cas, pour l'instant, il faut vraiment que j'essaye
de récupérer ma bourse en gagnant le concours de talents.

Malheureusement, je suis une chanteuse assez moyenne.
Mais si j'étais accompagnée par des super-musiciens,
j'aurais une chance de gagner.

Dès demain, je mettrai des affiches partout au collège et
ferai passer des auditions pour constituer mon groupe.
Si tout se passe bien, il restera encore quelques élèves
vraiment talentueux qui ne se sont pas encore inscrits.

Euh, en fait, on voudrait faire partie
de ton groupe tous les deux!

LUNDI 18 NOVEMBRE

Aujourd'hui, je suis arrivée au collège avec 1 heure d'avance pour coller mes affiches.
On m'a autorisée à utiliser une salle de répétition demain, après les cours.

Je sais que tout ça est un peu improvisé. Mais il me suffirait de trois ou quatre candidats pour former un groupe.

Bien qu'il soit très tôt le matin, j'ai vu au moins une demi-douzaine de groupes en train de répéter un peu partout dans le collège.

Dans la cafétéria, les CCC ont mis leur musique tellement fort que je ne m'entendais même plus penser.

J'ai jeté un œil à l'intérieur : Chloë et Zoey étaient en train de danser avec Jason et Ryan. Mes MAV avaient l'air super heureuses.

Pour moi, ça ne faisait aucun doute : elles préféraient draguer Jason et Ryan que de répéter avec mon groupe de nazes.

Tout à l'heure, à la bibliothèque, je leur dirai que j'ai changé d'avis à propos du concours de talents. Je suis sûre qu'elles comprendront.

MOI EN TRAIN DE COLLER LES AFFICHES POUR MON AUDITION

Dès que j'aurai fini de coller mes affiches, je filerai en classe pour boucler les devoirs que je n'ai pas terminés pendant le week-end.

C'est incroyable, tous les devoirs qu'on a au collège !
IMPOSSIBLE de tout faire.

Comme je ne peux pas me permettre d'avoir
une mauvaise note, j'ai décidé d'aller voir le prof
avec une super-excuse pour qu'il m'accorde
un peu de temps supplémentaire.

Bizarrement, les profs ont tendance à croire aux histoires
bien ficelées, même si elles sont complètement ouf
et abracadabrantes.

C'est alors que j'ai eu l'idée géniale de rédiger
un manuel intitulé :

GUIDE DES EXCUSES BIDON
POUR LES NULS (et les fainéants)

Je ne sais pas si ce genre d'ouvrage existe déjà
sur le marché.

J'ai décidé de faire une liste de toutes les meilleures excuses
que j'ai inventées ces dernières années et de les rédiger
simplement.

Une fois que j'en aurai assez, je les compilerai dans un livre qui a toutes les chances de devenir le prochain best-seller du monde étudiant :

DE : _____
(TON NOM)

OBJET : Problème de devoirs

Cher _____
(NOM DU PROFESSEUR)

Vous n'allez sûrement pas me croire mais :
- ☐ ma sœur capricieuse
- ☐ mon frère gâté pourri
- ☐ mon oncle parano
- ☐ ma voisine sénile

a un animal
- ☐ un serpent, Hubert
- ☐ un singe, Rocky
- ☐ une chauve-souris, Jean-Claude
- ☐ une licorne, Fléchette

qui, malheureusement, est

- ☐ peureux
- ☐ furieux
- ☐ un peu fou
- ☐ malade

et qui, de manière inattendue,

- ☐ a vomi
- ☐ a mis bas
- ☐ a succombé à une crise cardiaque
- ☐ a saigné du nez très fort

sur mon

- ☐ exercice de maths
- ☐ devoir
- ☐ exposé
- ☐ travail
- ☐ rapport
- ☐ _____

(REMPLIR LE BLANC)

Quand j'ai compris que je ne pourrais pas
vous rendre mon travail à temps, je me suis
senti(e) très déprimé(e) et j'ai subi
une incontrôlable crise de

- ☐ larmes
- ☐ flatulences
- ☐ hoquet
- ☐ rire

Je suis sincèrement désolé(e) pour la gêne
occasionnée, et vous promets que
cela n'arrivera plus :

- ☐ JAMAIS !
- ☐ jusqu'au prochain devoir à la maison
- ☐ jusqu'à ce que les poules aient des dents
- ☐ jusqu'au prochain épisode de « SODA »
- ☐ (et si vous croyez à ça, je vous paye
une caisse de champagne)

Bien cordialement, _____
                              (TA SIGNATURE)

Je pourrai peut-être utiliser l'argent de la vente de mon livre pour payer mes frais de scolarité ! 😊

Aujourd'hui, en SVT, Brandon n'a pas arrêté de me regarder.

C'est pas comme si, moi aussi, je n'avais pas arrêté de le regarder pendant toute l'heure. Mais il se trouve que je suis très observatrice et que je l'ai remarqué.

J'ai failli tomber de ma chaise quand il s'est penché vers moi et m'a murmuré : « Ça va, Nikki ? T'as l'air un peu déprimée, aujourd'hui. »

Mais comme discuter avec lui m'aurait déprimée encore plus, je me suis contentée de hocher la tête et de continuer à remplir la fiche sur le cerveau humain.

C'est pas comme MacKenzie ! Elle a pas arrêté de parler pendant toute l'heure.

OMG !!

Elle a soûlé Brandon avec ses nouvelles saveurs de gloss
et son nouvel ordi, et n'a pas arrêté de lui faire les yeux doux.

Tout en observant le comportement de MacKenzie,
j'ai préparé un rapport d'observation pour exposer
ma nouvelle thèse sur l'intelligence et la nutrition.

Et ma conclusion, c'est qu'il est tout à fait possible d'avoir
le QI d'un petit-beurre et de pouvoir évoluer en société!

MACKENZIE

PETIT-BEURRE

En tout cas, après le cours, Brandon n'est même pas venu
me parler. Rien...

Il m'a juste regardée, puis s'est éloigné en haussant les épaules, une expression perplexe sur le visage.

On dirait qu'il ne me calcule pas, et ne comprend ABSOLUMENT RIEN à mon comportement.

Ce qui est plutôt ironique quand on sait que c'est à cause de LUI que je suis complètement OUF.

Comment peut-il ne PAS savoir ce que je ressens?

Et s'il pensait que je le REJETTE?

Alors que je l'aime bien. BEAUCOUP, même!

Enfin, je crois!

POURQUOI je sais PLUS OÙ J'EN SUIS?

☹

MARDI 19 NOVEMBRE

Aujourd'hui, c'était le GRAND JOUR! Le jour des AUDITIONS!

Même si j'avais l'air hyper excitée, au fond de moi
je m'inquiétais vraiment.

Si je ne gagne pas le concours de talents et que je ne décroche
pas une bourse, je n'aurai pas le choix : il faudra changer
de collège.

Rien que d'y penser, j'en ai des sueurs froides!

Et, comme si je n'étais pas déjà assez STRESSÉE comme ça,
MacKenzie n'a pas arrêté de me regarder d'un air hargneux,
pendant tout le temps que j'étais près de mon casier.

« Hé, meuf, tu me soûles, là! Tu veux ma photo, ou quoi? »

Je l'ai dit très fort, mais dans ma tête, et personne d'autre
ne l'a entendu.

Je me suis ennuyée à mourir pendant tous les cours.
J'avais l'impression que cette journée ne finirait jamais.

Quand, ENFIN, la cloche a sonné, je me suis précipitée
dans la salle de répétition pour me préparer.

En passant devant la cafétéria, j'ai remarqué que MacKenzie
et quelques-unes de ses copines danseuses du CCC étaient
rassemblées autour de mon affiche.

Bien sûr, dès qu'elle m'a vue, elle a commencé à chuchoter
et à ricaner comme une sale petite sorcière.

viens
danser !

AUDITIONS!

Moi

Elle est quand même super gonflée de me pourrir comme ça, sous mon nez!

Mais comme j'avais un truc à faire, je l'ai ignorée et j'ai continué mon chemin.

Je suis arrivée dans la salle de répétition environ dix minutes en avance et j'ai été soulagée de voir qu'une douzaine de personnes étaient déjà occupées à chauffer leurs instruments.

Je commençais à me sentir beaucoup mieux. Mais surtout, j'espérais que mon plan de ouf allait fonctionner.

Rien qu'en les écoutant, je pouvais dire que j'avais affaire à de bons musiciens.

À 15 h 45 pile, j'ai décidé de donner le feu vert : « OK? Je suis prête à commencer, si vous êtes prêts, vous aussi! Voici la fiche d'inscription. »

Le batteur avait l'air sympa. Il m'a regardée en souriant : « Alors c'est toi qui utilises cette salle aujourd'hui? T'en fais pas, on part dans deux minutes. Dès que le tuba arrive, on va répéter avec la chorale dans l'auditorium. »

Dans deux minutes? Je n'y comprenais plus rien. J'étais presque sûre d'avoir mal entendu. «Pardon, mais... vous ne venez pas pour l'audition du concours de talents?»

«Si! On joue du jazz, mais on fait aussi quelques morceaux avec la chorale.»

Je l'ai regardé, bouche bée. «Euh... OK, je croyais juste que vous étiez là pour...»

Ma voix s'est brisée.

C'est alors qu'un mec a fait irruption dans la salle pour récupérer son tuba. Puis tout le monde est sorti.

J'ai senti mon cœur sombrer, et je me suis laissée tomber sur une chaise.

À part moi, il n'y avait personne dans la salle.

J'ai jeté un œil à l'horloge : 15 h 55.

Pas de panique! Si ça se trouve, ils sont tous en retard!

En me retournant une nouvelle fois vers l'horloge,
je me suis demandé si elle fonctionnait toujours.
Elle était si leeeeeeennnnte.

15 h 58, 16 h, 16 h 03...

Et toujours personne.

16 h 05, 16 h 08, 16 h 11...

À 16 H 15, j'ai poussé un long soupir et fini par me rendre
à l'évidence : mon plan génial était un énorme, un gigantesque

FIASCO!

Personne n'avait daigné se présenter à mon audition! ☹

Je ne me souviens pas de m'être jamais sentie aussi seule.

Une grosse boule s'était formée dans ma gorge et je tentais désespérément de retenir mes larmes.

Quelle LOSE!!

Changer de collège n'était peut-être pas une mauvaise idée, finalement.

Il était ÉVIDENT que personne ne m'aimait ici. Je m'étais complètement trompée moi-même en y croyant.

Soudain, Violet a fait irruption dans la pièce et claqué la porte derrière elle, interrompant le cours de mes pensées.

«Ah, tu es là! Tu peux me dire ce qui se passe? J'ai dit à tout le monde qu'il fallait venir ici en premier! Il y en a qui sont vraiment débiles!»

C'est facile de savoir ce que Violet pense.

En fait, elle le dit bien fort, que ça plaise ou non.
Mais c'est ce que j'aime chez elle.

«Bon, merci d'avoir annulé ton audition à la dernière minute! J'ai répété cette chanson débile au piano pendant des heures! Je crois que la célébrité m'échappe, une fois de plus!»
a-t-elle lancé, furieuse.

Je me suis contentée de hausser les épaules et d'essuyer mes larmes avant qu'elle les remarque. « Hé, ça va ? »

« Oui, oui. C'est... une crise d'allergie. Mais ça va. Tu as parlé d'annulation ? »

« Oui, tu aurais pu prévenir plus tôt, quand même !
Que s'est-il passé ? »

« Comment ça, que s'est-il passé ? »

« Comment ça, comment ça ? »

Violet m'a regardée comme si j'étais folle.

« Mais enfin, c'est TOI qui as annulé l'audition, non ?
Viens voir... »

Je l'ai suivie dans le couloir et nous nous sommes arrêtées à l'endroit exact où j'avais vu MacKenzie et ses copines, une heure plus tôt.

«Tu vois, là? C'est écrit ANNULÉ!» a dit Violet en montrant du doigt mon affiche.

Je n'en croyais pas mes yeux!

Je me suis élancée dans le couloir, jusqu'à l'affiche que j'avais scotchée au-dessus de la fontaine à eau.

ANNULÉ !!

J'ai vérifié aussi celle que j'avais mise sur le mur,
près de mon casier : ANNULÉ !

J'ai fait tout le tour du collège en arrachant l'une après l'autre toutes mes affiches. Toutes étaient marquées « ANNULÉ » !

Puis je les ai jetées dans une poubelle.

Pas étonnant que personne ne se soit présenté à mon audition.

Et je savais qui était derrière tout ça.

MACKENZIE !!!

Encore une fois, j'avais les larmes aux yeux. Mais cette fois, c'étaient des larmes de rage.

Comme c'était bientôt l'heure à laquelle ma mère vient me chercher, j'ai décidé de prendre un raccourci par la cafétéria pour rejoindre mon casier.

Mon cerveau carburait à 100 à l'heure. J'avais toujours la facture des frais de scolarité et pas un sou pour la régler.

Que faire, maintenant? Tout dire à mes parents? Ça semblait la SEULE solution.

Au moment où j'entrais dans la cafétéria, j'ai entendu de la musique et un rire familier.

Je me suis figée, retenant mon souffle.

SUPER! ☺

J'avais débarqué au beau milieu de la répète de danse de MacKenzie. Après ce que cette peste m'avait fait, elle était bien la DERNIÈRE personne que j'avais envie de voir.

Très vite, je me suis glissée entre deux distributeurs de boissons en priant pour que personne ne m'ait vue. Et, une fois cachée, je les ai espionnés.

Je l'avoue, MacKenzie et sa troupe dansaient vraiment bien. Surtout Chloë et Zoey. Comme je l'avais prédit, celles-ci étaient de loin les meilleures.

Alors, soudain, j'ai compris que ma situation était sans espoir. Je n'avais AUCUNE CHANCE de gagner contre ce groupe.

Quand la musique s'est arrêtée, MacKenzie a souri à ses danseurs, comme une mère poule fière de ses petits.

« OK, tout le monde ! C'était MAGNIFIQUE ! 10 minutes de pause ! »

Avant que je comprenne ce qui se passait, tous les danseurs se sont précipités dans ma direction.

Tu parles d'une GALÈRE !

Voilà que j'étais coincée dans une pièce avec une bande de danseurs en nage et assoiffés.

Et, comme par hasard, j'étais justement cachée parmi les sodas glacés, les jus de fruits et l'eau en bouteilles !

C'est pas vrai, Nikki! T'es vraiment trop NOUILLE!

Je me suis retournée, prête à foncer vers la porte.
Mais j'avais oublié un petit détail... ou plutôt, deux...

LES POUBELLES!

Qu'est-ce que...
oups!

Je me suis COGNÉE dans la première poubelle, puis j'ai trébuché et me suis affalée sur la deuxième.

Malheureusement pour moi, les poubelles étaient pleines à craquer de déchets collants et dégoulinants — des trucs que les élèves n'avaient pas voulu manger ou avaient carrément jeté.

Et ça sentait vraiment, vraiment... MAUVAIS !

C'était même un peu POURRI... je sais pas trop !

J'ai heurté le sol avec un bruit sourd et je suis restée là, sonnée, couverte des pieds à la tête de déchets répugnants.

Je me suis sentie vraiment MÉGA NULLE.

Je ne sais pas ce qui était le plus amoché, mes FESSES ou mon EGO.

Le pire, c'est que j'avais du public.

En l'occurrence, le CCC du collège au grand complet !
Et, bien entendu, MacKenzie tenait la forme olympique.

«OMG! Nikki! Qu'est-ce que tu fais dans les poubelles? Tu cherches à manger pour ce soir?»

Toutes les filles rigolaient tellement qu'elles en avaient du mal à respirer.

Enfin, toutes, SAUF Chloë et Zoey.

« Nikki ! Qu'est-ce qui s'est passé ? » a demandé Zoey, paniquée.

Mes amies m'ont prise chacune par un bras et m'ont aidée à me relever. Elles étaient si gentilles que j'en aurais pleuré !

MacKenzie a fouillé dans sa poche, en a retiré un morceau de papier, l'a déplié et l'a agité sous mon nez pour me narguer. C'était l'une de mes affiches.

« Alors, ça s'est passé comment, tes auditions pour le concours de talents ?! À ce que je vois, tu as eu la trouille et tu as tout annulé au dernier moment ! »

Je n'en croyais pas mes oreilles. Comment osait-elle ? Je suis restée plantée là, à la fixer en me demandant ce qui était le plus puant : MacKenzie ou la peau de banane pourrie qui pendait sur mon front.

J'étais sur le point de répondre quand Chloë et Zoey ont tourné vers moi leurs visages étonnés.

« Attends... Tu vas participer au concours de talents ? »
a demandé Chloë, manifestement sous le choc.

« Je croyais que tu n'avais pas le temps parce que t'avais
trop de devoirs et qu'il fallait que tu bosses tes cours ?
a ajouté Zoey. Ou alors, c'est que tu ne voulais pas répéter
avec NOUS ? »

« C'est ÉVIDENT ! a lâché MacKenzie en leur tendant
mon affiche. J'ai l'impression qu'elle préférerait travailler
avec n'importe qui plutôt qu'avec vous deux ! »

Chloë et Zoey avaient l'air très blessées.

J'ai essayé désespérément de trouver quelque chose à dire
à mes MAV.

« Euh... je... je me suis décidée à la dernière minute et... »

Tout de suite, MacKenzie a pris l'avantage et a décidé de m'ACHEVER.

« Bon, eh bien maintenant, au moins, vous savez quel genre de MAV vous avez, Chloë et Zoey. Une Mauvaise Amie pour la Vie qui ne veut rien avoir à faire avec vous ! Elle ne mérite pas votre amitié, on dirait... »

S'il y avait un Oscar de la meilleure actrice de scène de rupture entre amis, MacKenzie le remporterait haut la main.

« OMG ! Je suis tellement désolée pour vous, les filles ! » a gémi MacKenzie en clignant des yeux pour chasser ses larmes de crocodile. Ensuite, elle les a embrassées comme si elles venaient de perdre leur animal de compagnie.

« Chloë, Zoey, je vous en prie, ne la croyez pas. J'avais vraiment envie de répéter avec vous pour ce concours, mais il s'est passé beaucoup de choses... »

J'étais stupéfaite de les voir mal à ce point-là. On aurait dit qu'elles allaient pleurer.

« Je voulais vous parler des musiciens aussi, mais je n'en ai pas eu l'occasion... Pas encore », j'ai murmuré.

« J'en ai assez entendu ! Nikki vous traite comme de la m... ! Allez, venez les filles, on a un concours à gagner, nous ! » a lancé MacKenzie en prenant Chloë et Zoey par les épaules.

Mais avant que MacKenzie disparaisse dans les toilettes des filles, elle m'a envoyé un regard mauvais, tout en formant distinctement avec ses lèvres le mot :

« LOSER » !!

Et je dois admettre qu'elle n'a pas tort, car c'est exactement comme ça que je me sens en ce moment. Car grâce à MacKenzie, ma vie est

BONNE À JETER À LA POUBELLE !

Sans jeu de mots ! ☹

MERCREDI 20 NOVEMBRE

J'ai presque abandonné tout espoir de me présenter
au concours de talents.

Et je n'ai toujours pas la moindre idée sur la manière
dont je vais pouvoir continuer à fréquenter le WCD.

Quand j'ai vu Chloë et Zoey en sport, hier, je voulais
vraiment m'excuser et essayer de tout leur expliquer
avant que MacKenzie ne leur lave le cerveau.

Mais je n'ai rien pu dire parce que notre prof a annoncé
que nous allions jouer au basket.

Ensuite, elle a sélectionné quatre capitaines pour former
des équipes.

Malheureusement, je suis assez nulle en basket, et je n'ai
JAMAIS marqué un panier de toute ma vie.

Je n'ai donc pas été surprise le moins du monde d'être
la toute dernière de la classe à être choisie.

OMG! Quelle humiliation! 😞

Comme si c'était pas suffisant, les quatre capitaines ont commencé à se disputer devant tout le monde, chacun voulant éviter de récupérer dans son équipe un boulet dans mon genre.

Pas étonnant que mon amour-propre me tombe dans les chaussettes!

J'avais espéré que Chloë et Zoey seraient dans mon équipe, mais hélas, je n'ai pas eu cette chance.

En tout cas, les équipes gagnantes devaient récolter un A et les équipes perdantes le droit de prendre une douche. Ça m'a super stressée car je déteste me doucher au collège.

J'ignorais que jouer au basket pouvait se révéler aussi...

DOULOUREUX!!

Quand j'ai demandé à la prof si je pouvais mettre un casque, des épaulettes et un protège-menton, elle m'a carrément envoyée balader en disant que je n'avais qu'à me battre sur le terrain pour faire gagner mon équipe.

Ce que j'aimerais bien savoir, c'est comment je peux rédiger correctement mon journal si je me fais engueuler toutes les deux secondes à cause d'un pauvre match de basket ? À la fin du match, ce ballon me sortait par les yeux.

Quand quelqu'un me le passait, je le jetais par-dessus mon épaule sans même regarder où il allait atterrir. J'étais pressée de m'en débarrasser pour aller rédiger mon journal.

Et tu sais quoi ? J'ai marqué le panier gagnant
à deux secondes de la fin du match !

Tout le monde s'est précipité vers moi pour me féliciter !
Mes coéquipières m'ont portée sur leurs épaules comme si
j'étais une véritable héroïne et que je venais de gagner
le championnat régional ou un truc du genre.

Jamais de ma vie je n'avais vu des gens aussi heureux
de NE PAS AVOIR à prendre une douche !

J'avais espéré croiser Chloë et Zoey dans les vestiaires
mais comme leur équipe avait perdu, elles étaient obligées
d'aller se doucher.

Alors j'ai décidé qu'il était plus prudent d'attendre
pour avoir une vraie explication avec elles.

En plus, je ne sais pas trop quoi leur dire en ce moment.

À part la vérité.

Et justement, dire la vérité n'est pas envisageable.

JEUDI 21 NOVEMBRE

OMG! J'en reviens PAS de ce qui s'est passé en cours
d'éducation civique aujourd'hui!

Le pire, c'est que je suis tellement déprimée que je ne fais
même plus attention à mes devoirs.

COMMENT travailler correctement quand tout ton univers
s'écroule autour de toi?

Pour arranger encore les choses, dans cette matière,
la participation orale compte pour un tiers dans la moyenne.

Ce qui signifie qu'on NE PEUT PAS se permettre de rester
assis au fond de la classe à envoyer des textos à toutes
les copines pour leur dire à quel point ce cours nous em....

Comme je veux améliorer ma moyenne, à chaque fois
que le prof posait une question dont je connaissais
la réponse, j'étais prête à tout pour attirer son attention.

LE PROF : « Il fait trop chaud dans la classe aujourd'hui, non ?
C'est moi ? »

Et alors ? Si je connais la réponse à cette question,
c'est normal que je lève la main, non ?

Bien sûr, le prof m'a complètement ignorée.

Comme à chaque fois que je connais la réponse.

Après, nous avons commencé à discuter de ce texte que j'avais
rapidement survolé.

LE PROF : « Pouvez-vous me dire la différence entre
une démocratie, une république, une république fédérale et
une république parlementaire, et me donner un exemple
de pays représentatif de chaque régime ? Alors... Voyons... »

J'ai essayé d'éviter tout contact visuel et de me cacher
derrière mon livre tout en me répétant dans ma tête :

Pas moi, pas moi,
pas moi !

Est-ce que ça a marché ? NOOONNNN !!

LE PROF : « Alors... mademoiselle Maxwell ? »

Bien sûr, j'ai eu l'air d'une débile parce que je ne connaissais
pas les réponses à cette question en dix-sept parties !! ☹

Alors j'ai pété les plombs et je me suis mise à hurler :
« S'te plaît, monsieur le prof ! Je peux te poser une question,
moi ? Pourquoi TU m'interroges TOUJOURS quand
je NE CONNAIS PAS la réponse ? Je trouve ça pas
très PROFESSIONNEL, si tu veux mon avis ! »

Mais j'ai dit ça dans ma tête et personne d'autre que moi
ne l'a entendu.

Enfin, le cours s'est terminé, et j'étais en train de ranger
mes livres dans mon sac à dos quand il s'est passé un truc
super étrange.

Violet est venue me voir pour me demander si j'avais toujours
l'intention de former un groupe pour le concours de talents.

Je l'ai fixée, la bouche ouverte. Je n'arrivais pas à croire
qu'elle voulait faire partie de mon groupe.

J'ai répondu avec enthousiasme : « Euh... oui, bien sûr !
Et j'ADORERAIS t'avoir aux claviers ! »

Violet a souri et a lancé : « Merci, Nikki. Enfin, mon rêve devient réalité ! »

C'est alors que Théodore s'est retourné et m'a regardée bizarrement.

Quoique, pour parler franchement, Théodore a toujours l'air UN PEU BIZARRE. Par un hasard de la nature, il pourrait facilement passer pour le jumeau humain de Bob l'Éponge.

Tout excité, il m'a demandé : « Hé, meuf, tu veux monter un groupe ? »

« Ben oui ! Mais toi et ton groupe, vous n'êtes pas déjà inscrits pour le concours de talents ? »

Le groupe de Théo, les SUPERFREAKS, avait mis une ambiance de folie à notre soirée Halloween. Et à en croire les derniers ragots, ils partaient favoris pour le concours de talents.

«Tes pas au courant? MacKenzie a convaincu la plupart de mes potes du groupe de rejoindre sa pauvre troupe de danseurs. Elle leur a raconté que les pom-pom girls les kiffaient trop et qu'elles avaient super envie de danser avec eux. Maintenant il ne reste plus que deux SUPERFREAKS – Marcus et moi –, a répondu Théo, les larmes aux yeux. Le reste est passé... du côté obscur de la force!»

Il était si triste qu'il m'a fait pitié. Je lui ai tendu un mouchoir en papier pour qu'il se mouche.

«Je suis vraiment désolée pour toi...»

Il avait perdu ses meilleurs copains, qui lui avaient tourné le dos du jour au lendemain, et ça me rappelait FURIEUSEMENT quelque chose... et quelqu'un!

Plein d'espoir, Théo m'a demandé : «Euh... t'as pas besoin d'un bassiste et d'un guitariste?»
J'étais ravie. «Si, et vous êtes engagés!» ai-je répondu.

Je leur ai expliqué, à Violet et à lui, que je m'étais déjà organisée pour pouvoir utiliser la salle de répétition et qu'on pourrait commencer à travailler dès le lendemain matin.

Comme la date limite d'inscription au concours était justement le lendemain, j'avais l'intention de nous inscrire à la première heure.

« Cool ! » a dit Violet.

« Oui, trop cool ! » a ajouté Théo.

C'est seulement à ce moment-là que j'ai compris qu'il restait une question importante à régler.

« Euh... Le seul truc, c'est qu'il nous manque un batteur. On ne peut rien faire sans batteur. »

J'avais l'impression d'être un ballon de baudruche qu'on venait de dégonfler.

Violet a accusé le coup. « T'as raison ! On n'a aucune chance sans batteur ! Ma carrière musicale est finie avant même d'avoir commencé ! »

Théo a plissé les yeux et s'est tapoté le menton comme s'il était en train de résoudre un problème de géométrie super difficile. « Comme je vous l'ai déjà dit, le batteur des SUPERFREAKS est passé du côté obscur, mais je connais un autre mec. Il m'a dit qu'il était trop occupé pour s'engager avec notre groupe, mais il serait peut-être d'accord pour répéter pendant une ou deux semaines, jusqu'au concours. Il joue super bien, lui aussi. »

Sentant l'espoir renaître, j'ai dit : « Ah oui ? Génial, demande-lui ! »

Je commençais à me dire que ce plan de OUF pouvait peut-être fonctionner.

« Eh, l'essentiel, c'est de GAGNER ! j'ai lancé, en tapant dans la main de Violet et de Théo. Alors, rendez-vous demain matin ! »

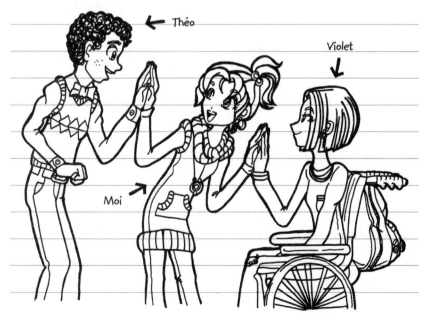

Théo

Violet

Moi

J'ai pris mon sac à dos et je me suis tranquillement dirigée vers la porte.

Mais, dans ma tête, j'étais si heureuse que je faisais ma « danse du bonheur ».

LA, LA, LA!
JE SUIS...

LA, LA LA!
... DANS...

LA LA LA!
... UN GROUPE!

OMG! J'aurais pu continuer comme ça jusque dans la salle de cours!

MacKenzie avait convaincu mes meilleurs amis et ceux de Théodore de rejoindre sa troupe de danseurs en leur infligeant un DIABOLIQUE LAVAGE DE CERVEAU.

Et elle m'avait piqué mon mec en le draguant et en faisant mine de s'intéresser à la photo.

Mais l'heure de ma revanche avait sonné.

À partir d'aujourd'hui, je consacrerai tout mon temps
et toute mon énergie à mon nouveau groupe.

Et on allait DÉCHIRER !!!

YEAH !

J'étais tellement excitée à l'idée de la première répétition que j'ai à peine dormi la nuit dernière. Je me suis levée super tôt, j'ai avalé vite fait une barre de céréales et je me suis précipitée au collège.

Les cours ne commençaient que 1 heure et 15 minutes plus tard, mais de la musique résonnait déjà dans les couloirs. Tout le monde répétait.

J'étais contente de voir que le bureau principal était ouvert, et j'y suis passée pour remplir la fiche d'inscription. Notre groupe allait pouvoir participer au concours !

Au moment où je finissais, la DERNIÈRE PERSONNE que j'avais envie de croiser est entrée. Ou plutôt, l'AVANT-DERNIÈRE personne.

J'avais autre chose à faire que de perdre mon temps et mon énergie avec lui. J'ai essayé de me cacher derrière mon sac à dos.

Moi essayant de me cacher derrière mon sac à dos

Brandon

Mais ça n'a pas marché.

« Salut, toi ! » a lancé Brandon avec un grand sourire.

Il avait l'air agréablement surpris de me voir.

Comme si je ne venais pas juste de chercher le moyen

de me glisser dans mon sac à dos et de m'y enfermer,

j'ai pris un air super cool : « Ça va ? Quoi de neuf ? »

« Pas grand-chose. Je me suis arrêté pour dire bonjour à une amie, c'est tout. »

J'ai jeté un coup d'œil dans le bureau. Il n'y avait personne à part nous.

J'ai fait genre que je m'en fichais : « Eh bien, je n'ai vu personne entrer depuis que je suis ici. »

Brandon a plaisanté : « Mais toi, tu n'es pas mon amie ? »

« Oh ! Tu parlais de moi ! Désolée ! Je croyais... »

Je me suis mordu la lèvre et j'ai rougi comme une tomate quand il a posé sur moi son regard trop craquant.
Celui qui déclenche chez moi le « syndrome du grand huit » en quelques secondes.

J'ai crié **YEEEEEEESSSSSSSS !!!**, mais seulement dans ma tête alors personne ne m'a entendue.

J'ai essayé de reprendre contenance. « Qu'est-ce que tu fais au collège à cette heure-ci ? À part dire bonjour à une amie, je veux dire... »

« Je suis venu pour une répète. Je me suis laissé convaincre au dernier moment... »

J'ai eu l'impression qu'on venait de me verser une grosse bouteille d'eau glacée dans le dos.

Brandon ? Au concours ?

Brusquement, j'ai pensé que si MacKenzie avait besoin d'un danseur, ce ne serait certainement pas lui qu'elle choisirait en premier. Et... pourquoi pas, après tout ?

Mais COMMENT Brandon avait-il pu se laisser embobiner comme ça par MacKenzie ?!

« Ah oui ? C'est... super ! ai-je lâché entre mes dents serrées. Alors comme ça, tu vas danser avec ta photocopine ? »

Brandon a cligné des yeux, l'air légèrement perplexe.
« Ma photocopine ? Je... Ah ! Tu veux parler de MacKenzie ? »

OUAIS...

Je lui ai fait mon plus beau sourire forcé : «J'espère que tu survivras à l'attaque de BIG MAC!»

Puis j'ai levé les yeux au ciel, assez longtemps pour qu'il le remarque.

Il a ri, s'est penché vers moi et m'a donné un coup de coude : «Tu m'éclates, toi, Nikki! Une attaque de BIG MAC!»

Personnellement, je ne voyais pas ce qu'il y avait de drôle. «Ben oui, vous êtes inséparables en ce moment. C'est touchant, cette complicité... artistique.»

Brandon a ri de plus belle. POURQUOI? C'était pas drôle!

Puis il a regardé sa montre : «Bon, faut que j'y aille. À plus tard!»

Je n'ai pas pu me retenir, comme si j'avais la diarrhée de la bouche ou un truc du genre. J'ai lancé : «Bonne chance avec ton petit Canon! Je vous souhaite... de vous planter!»

Brandon a secoué la tête et m'a fait un pâle sourire.
« Euh... Merci. Enfin... »

Puis il a tourné les talons. Je l'ai suivi des yeux jusqu'à
ce qu'il ait disparu au bout du couloir.

Je me suis repassé notre conversation dans ma tête.

« Photocopine ? Attaque de Big Mac ? Complicité artistique ?
Petit Canon ? »

J'ai eu honte d'avoir fait ces jeux de mots débiles.
Pourquoi est-ce que je me comportais toujours de manière
totalement FOLLE et IRRATIONNELLE avec ce mec ?

Pas étonnant qu'il préfère MacKenzie. Il devait me prendre
pour une débile !

J'ai essayé de ne plus penser à eux deux. J'avais mieux à faire,
comme par exemple diriger la répétition avec mon groupe
– qui devait commencer dans deux minutes.

Mais qui ne pourrait pas avoir lieu si je ne finissais pas
de remplir le formulaire d'inscription !

J'avais tout rempli sauf une ligne : *Nom du groupe.*

Euh... Il fallait réfléchir à un nom un peu décalé mais super cool.

Un truc comme... Purple... Poison... Messagers du... chaos? Non!!

Ou alors FAIM... PLASTIQUE... CRI... ONGLES D'ORTEILS? NON!

À la rubrique *Nom du groupe*, j'ai écrit : «Je sais pas trop encore. »

J'ai rendu le formulaire à la secrétaire, j'ai attrapé mon sac à dos et me suis précipitée dans le couloir, en direction de la salle de répétition.

Je ne savais pas du tout ce qui m'attendait.

Nous avions à peine huit jours pour choisir une chanson et l'apprendre suffisamment bien pour ne pas être ridicules le jour J.

Bref, c'était...

MISSION IMPOSSIBLE.

Théo joue du violoncelle dans l'orchestre du collège
et Marcus, son meilleur ami, du violon. Ils sont tous
les deux «premier pupitre», ce qui signifie qu'ils sont les
meilleurs dans leurs instruments respectifs.

J'ai été vraiment impressionnée par la facilité avec laquelle
ils sont passés de la musique classique aux titres
du Top 50. Même si ça n'a sûrement pas été si compliqué
pour eux, vu qu'à eux deux, ils ont un QI supérieur
à celui de tous les autres élèves du collège réunis.

À côté d'eux, MOI (une nouille autoproclamée), j'ai l'impression
d'être un poisson rouge.

Pour eux, une conversation intéressante, c'est par exemple
le fait de débattre quelle arme, du sabre lumineux de *Star
Wars* ou du phaser de *Star Trek*, possède la technologie
la plus perfectionnée.

Violet, elle, est une solitaire qui passe des heures à étudier des partitions pour piano. J'ai entendu dire qu'elle avait remporté des concours nationaux.

Mais jouer de la pop sur un clavier est complètement différent, et j'avais un peu peur qu'avec elle, Justin Bieber ressemble à J.-S. Bach et Miley Cyrus à Mozart.

Mais notre principal problème, c'est que nous n'avions pas de batteur, et ça, ça m'inquiétait vraiment. Comment gagner dans ces conditions?

Au moment où je suis entrée dans la salle de répétition, tout le monde était déjà arrivé et chauffait son instrument.

J'ai été très surprise de voir un mec, de dos, en train d'installer une batterie. On avait un batteur?

Quand il s'est retourné et m'a souri en agitant la main, j'ai FLIPPÉ!

Théo avait engagé **BRANDON** ?!

Je ne savais même pas qu'il jouait de la batterie !

Je suis restée plantée là comme une nouille à les regarder, lui, puis les autres mecs du groupe, puis lui, puis les autres mecs du groupe, puis lui encore et les autres mecs du groupe, puis de nouveau lui...

Ça a continué comme ça pendant une ÉTERNITÉ !

À un moment, Brandon a haussé les épaules et a dit :
« Euh... ça va, Nikki ? On dirait que tu fais une crise d'épilepsie ou un truc du genre. »

« Moi ? Euh... non, tout va très bien ! Qu'est-ce qui te fait dire ça ? Je vais très bien ! »

Mais en vérité, j'étais sous le choc car je n'arrivais pas à croire que, FINALEMENT, j'avais mon propre groupe et que Brandon, mon amour secret, était là, lui aussi, pour jouer de la batterie !

OUIIIIIIIIII !! ☺

Après, on a commencé à parler musique, et j'ai appris des tas de nouveaux trucs.

Comme, par exemple, que les musiciens pouvaient jouer « à l'oreille » ou en suivant une partition.

Quand ils sont vraiment doués, il leur suffit d'écouter une chanson pour savoir comment la jouer. Ça ne leur prend que quelques minutes.

Sinon, on peut aussi suivre la partition, ce qui est beaucoup plus simple.

Et tu sais quoi ? Mes musiciens sont tellement doués qu'ils n'ont même pas besoin de partition !

J'ai proposé qu'on joue *Don't stop believin'*, un vieux tube, parce que c'est l'une des chansons préférées de mon père. C'était marrant de voir que tout le monde la connaissait, parce qu'elle passe souvent à la télé.

Très vite, chacun a appris sa partie et, dix minutes plus tard, ils jouaient tous ensemble.

C'était absolument GÉNIAL à voir et à écouter !

Ensuite, Théo m'a dit qu'ils étaient prêts et que je pouvais commencer à chanter. Il m'a tendu un micro.

Je tremblais tellement que j'ai cru que j'allais le lâcher.

Comme une idiote, j'ai dit le traditionnel « Un, deux, trois, c'est bon, c'est branché, ce truc ? » pour tester.

C'était branché, et ma voix était claire et forte.

Comme les papillons dans mon ventre.

Quand l'intro s'est terminée, j'ai fermé les yeux, pris une profonde inspiration et commencé à chanter.

C'était pas mal, pas mal du tout même. Enfin, pour un groupe qui s'était formé une demi-heure plus tôt, à peine.

Quand la chanson s'est terminée, Théo, Marcus, Brandon et Violet ont tous dit que je chantais super bien, surtout comme ça, sans entraînement ni rien.

En vérité – et ça restera entre nous –, j'ai déjà chanté et dansé sur cette musique un million de fois.

Devant ma glace, avec ma brosse à cheveux en guise de micro.

Ce qui m'a le plus scotchée, c'est de constater que Brandon était un super-batteur!

Mais il me rendait super nerveuse, parce qu'il n'arrêtait pas de me regarder.

J'ai rougi et je lui ai souri. À son tour, il a rougi et m'a souri.

Et, au moment où il pensait que je ne le regardais pas, il m'a regardée une nouvelle fois!

Alors, de nouveau, j'ai rougi et je lui ai souri. Et il a rougi et m'a souri.

Ce sketch a duré genre des HEURES!

Maintenant, je me demande si Brandon ne ressent pas pour moi un peu plus que de l'amitié!

Si c'est le cas, alors je vais sans doute MOURIR de bonheur absolu!

J'ai même écrit un poème sur lui.

LE BATTEUR DE LA MORT

Par Nikki Maxwell

Boum Boum Boum

Fait ta grosse caisse

Comme l'obsédant tambour

De mon cœur amoureux

Rap a tap

Fait ta caisse claire

Telles les petites graines d'espoir

Que tu as semées dans le néant qu'est ma vie

Crash! Bang! Crash!

Fait ta cymbale

Sourde comme moi

À force de taper sur des rangées de chaises

Pour essayer de ne plus penser à toi

Ta peau brille au soleil?

Sûrement pas!

Pourtant ton regard brûlant me fait fondre

Et ton gentil sourire est comme un coup de poignard

À mon âme blasée

Mon cœur manque un battement

Puis, soudain, il s'arrête!

C'est toi qui me l'as volé!

Rends-le-moi, je meurs de peur!

L'heure a passé comme un éclair, et très vite,

il a fallu se séparer pour aller en cours.

Comme le concours a lieu samedi prochain, on a décidé
de se retrouver chaque matin avant les cours pour répéter.

Ce qui veut dire que je vais passer beaucoup de temps
avec Brandon!

C'est TOOOOOOOPPPPPP! ☺

Ce concours de talents est le truc le plus excitant
que j'aie jamais fait.

Pendant tout le reste de la journée, j'ai été super heureuse
et d'excellente humeur.

Même quand j'ai vu Mackenzie et Jessica chuchoter
en me regardant d'un air méchant pendant la pause déjeuner.

ET ALORS? Qu'est-ce que ça peut bien me faire,
ce qu'elles pensent de moi!

Mon nouveau groupe est plus que MÉGA TOP!

Et maintenant, j'ai une bonne chance de gagner
cette bourse d'études! ☺

SAMEDI 23 NOVEMBRE

J'ai l'intention de passer toute la soirée à réfléchir
à mon groupe.

Le concours a lieu dans moins d'une semaine, et nous devons
encore trouver un nom, choisir une chanson et des costumes
de scène.

Malheureusement, mes parents m'ont annoncé que ce soir,
c'était « soirée vidéo en famille » et ils ont insisté pour
que je regarde avec eux le film qu'ils avaient loué.

L'enfant qui est en moi a crié : « NOOOOOOOOONNNNNNN ! »

OMG ! Quel SUPPLICE !!!

Il s'agit toujours d'un super VIEUX film que j'ai déjà vu
des millions de fois à la télé comme *Les Aventuriers
de l'arche perdue*, *Star Wars* ou *Le Seigneur des anneaux*.

Mon père dit qu'il aime bien les louer pour voir
toutes les scènes qui ont été coupées dans la version
diffusée « en salle ».

Ce qu'il ne calcule pas, c'est que si les réalisateurs coupent ces scènes, c'est qu'ils ont de bonnes raisons de le faire.

Raison n° 1 : elles sont NULLES. Et raison n° 2 : elles sont ENNUYEUSES (et je suis polie !).

J'ai dit : « Papa, tu rigoles ? C'est DÉJÀ horrible de nous faire voir ces films pour la septième fois, mais, EN PLUS, il faut se farcir deux heures de plus de scènes NULLES ET CH..., alors là... Perso, je préfère regarder goutter le robinet en mangeant un gros seau de popcorn. »

Mais je n'ai dit ça que dans ma tête et personne d'autre que moi n'a entendu.

Ma mère, elle, est fan des grands classiques comme *Chérie, j'ai rétréci les gosses, Dans la peau de ma mère, La Revanche d'une blonde* et *30 ans sinon rien.*

Que des trucs que je déteste presque autant que les films favoris de Brianna : *La Princesse Dragée et le bébé licorne* 1, 2, 3, 4 et 5. La voix de la princesse ressemble à celle d'un hamster gonflé à l'hélium !

« Ne vous inquiétez pas, gentils, adorables, jolis petits bébés licornes. Moi, la princesse Dragée, je suis ici pour vous sauver tous ! UNE FOIS ENCORE ! Pour la cinquième fois ! Juste parce que je suis gentille, adorable, et jolie, comme vous TOUS ! »

Les soirées vidéo en famille sont si pénibles que j'aimerais pouvoir emprunter la baguette magique de la princesse Dragée et me transporter dans la lune.

POURQUOI?

PARCE QUE LÀ-BAS,

AU MOINS, MES PARENTS

NE POURRAIENT PAS

M'OBLIGER À REGARDER

CES DAUBES!!

VOILÀ POURQUOI!

Enfin, bref!

☹

DIMANCHE 24 NOVEMBRE

Ce soir, mes parents sont sortis dîner et m'ont demandé
de garder Brianna.

Au début, j'ai dit «PAS QUESTION!» ☹ Puis j'ai fini
par accepter quand ils ont proposé de me payer.

J'ai besoin de cet argent pour faire des super T-shirts
à mes musiciens.

Le jour du concours de talents, on aura un look d'enfer
dans nos tenues de scène : jean et T-shirts assortis.

JE SUIS PAS GÉNIALE, HEIN?

Pour en revenir à Brianna, le pire, quand je dois la garder,
c'est qu'elle essaie toujours de profiter de la situation.

Et comme je suis payée cette fois-ci, elle se croit autorisée
à me traiter comme sa demoiselle de compagnie...

Ce qui signifie que j'ai passé deux heures à écouter chanter
– faux, très faux – Brianna et miss Plumette. Quel concert !

« Nikki, je serai la choriste de miss Plumette
quand elle partira en tournée mondiale ! »

J'ai aussi participé à un goûter avec la princesse Dragée,
déguisée moi-même en arrière-grand-mère, en compagnie
d'une poupée et d'une bande d'animaux en peluche!

Après tous ces sacrifices, j'espérais avoir droit à un peu
de calme pendant le dîner.

Dans mes rêves!

Maman m'avait laissé des instructions : Brianna n'avait pas le droit de quitter la table avant d'avoir mangé TOUT son brocoli.

Brianna est donc restée là, à pousser son brocoli avec sa fourchette d'un bord à l'autre de son assiette. On aurait dit qu'elle jouait au mini-golf !

Je lui ai dit qu'elle ferait mieux de manger, sinon elle resterait à table encore une heure et irait directement se coucher ensuite. Évidemment, elle s'est énervée.

J'ai quitté la pièce pour aller mettre mes couverts et mon assiette dans le lave-vaisselle.

En revenant, j'ai constaté avec étonnement que l'assiette de Brianna était complètement vide. Elle souriait jusqu'aux oreilles, de son sourire de petit ange parfait.

Pour un peu, on aurait vu son auréole.

Ça m'a tout de suite semblé plus que louche.

« Brianna, tu es SÛRE que tu as mangé tous tes brocolis ? »

Elle a hoché la tête et a continué de sourire comme un clown idiot. Mais je n'allais pas me laisser piéger par une fille de six ans.

Alors, je lui ai demandé d'ouvrir la bouche. Enfin, pas la sienne, mais celle de miss Plumette.

À ma grande surprise, elle n'y avait pas fourré ses brocolis.

Alors je l'ai serrée contre moi en lui disant à quel point Maman serait fière d'elle.

Elle n'a pas dit un mot, se contentant d'arborer son sourire de Miss America.

Hélas, je comprends pourquoi, maintenant !

Une fois Brianna couchée, j'étais en train de nourrir les poissons dans l'aquarium de Papa quand j'ai vu d'étranges morceaux verts flotter à la surface de l'eau.

Au début, j'ai cru qu'il s'agissait d'algues mortelles, ou un truc comme ça.

Mais après un examen plus attentif, j'ai constaté que ça ressemblait à... à...

DU BROCOLI MÂCHÉ.

BEURK ! OMG !!!

J'ai failli rendre mon hachis parmentier sur le tapis du salon.

J'ai hurlé à pleins poumons :

« BRIANNA !
Tu as craché
tes brocolis dans
l'aquarium ?! Descends
tout de suite nettoyer
tout ça ! J'ai dit
tout de suite ! »

J'étais si furieuse que j'aurais pu l'étrangler !

Je savais qu'elle faisait semblant de dormir.

Ce qui signifiait que c'était MOI qui allais devoir sortir
SON dégueulis de brocolis de l'eau !

C'était la chose la plus crado que j'avais jamais vue !

Garder cette espèce de sale petite peste est
une véritable punition !

La prochaine fois que mes parents sortent le soir,
c'est MOI qui leur DONNERAI 30 $ pour qu'ils RESTENT
à la MAISON et se commandent une PIZZA !

Oui, je le ferai, je le jure.

Enfin, au moins maintenant j'ai de quoi acheter les T-shirts.

Il ne nous reste plus qu'à trouver un super-nom
pour notre groupe et à choisir une chanson.

☺

Aujourd'hui, mon

PIRE

CAUCHEMAR

est devenu réalité. ☹

Après une matinée de cours mortellement ennuyeuse,
est venue – enfin ! – l'heure du déjeuner.

J'ai attrapé mon plateau et je m'apprêtais à rejoindre
la table 9 quand j'ai remarqué quelque chose de bizarre.

On aurait dit que tout le monde me regardait en chuchotant
et en ricanant dans mon dos.

J'ai d'abord cru qu'un morceau de papier toilette était resté
collé sur ma chaussure.

Ou qu'une crotte de nez géante pendait de mes narines.

Mais j'ai aperçu MacKenzie au fond de la salle,
qui me regardait, avec un rictus diabolique.

Tout près d'elle, il y avait une bande de filles du CCC.
Penchées sur son ordi design rose hors de prix,
elles rigolaient comme des malades...

J'ai eu un mauvais, très mauvais pressentiment.

Mes pensées partaient dans tous les sens quand je me suis
laissée tomber sur ma chaise.

Est-ce qu'elle avait... ?

Aurait-elle vraiment... ?

Elle avait osé... ?

J'ai fini par connaître la réponse à ces questions brûlantes
quand Matt a éclaté de rire en me regardant.

Évidemment, toute la cafétéria était morte de rire.

Mon estomac s'est contracté. Je ne pouvais plus rien avaler.

Je continuais à me dire dans ma tête : « NON, ELLE N'A PAS OSÉ !! »

Mais si, elle AVAIT OSÉ !

C'était l'humiliation suprême! J'ai fermé les yeux pour chasser mes larmes et j'ai tenté d'avaler la grosse boule qui me nouait la gorge.

J'aurais voulu m'enfuir, mais j'étais trop mal pour bouger.

Alors je suis restée là, le regard fixé sur mes raviolis.

J'étais sur le point de rapporter mon plateau quand MacKenzie s'est approchée.

« J'ai entendu dire que tu avais monté un groupe avec d'autres débiles dans ton genre. Vous allez vous appeler comment ? Le NOUILLE'S BAND ? »

Luttant toujours contre mes larmes, j'ai demandé :
« MacKenzie, pourquoi t'as parlé à tout le monde de cette virée chez Queasy Cheesy ? J'ai pourtant respecté ma part du marché, non ? »

« Et alors ? Maintenant que j'ai recruté Chloë et Zoey, je dois m'assurer que je n'aurai pas de concurrent sérieux. Alors comme il paraît que tes musiciens jouent plutôt pas mal, je me suis dit que c'était le moment idéal pour faire savoir à tout le monde que tu n'étais qu'une pauvre NAZE sans AUCUN TALENT! Désolée...»

Qu'est-ce qui m'a pris de faire confiance à cette MEUF?

Matt a rattaqué : «Hé, Maxwell, tu nous fais ta danse de la pizza!»

«Et toi, Matt, tu nous montres comment tu fais ta toilette intime!» a rétorqué une voix derrière moi.

En me retournant, j'ai eu l'agréable surprise de découvrir Chloë et Zoey, à l'autre bout de la table. Quand s'étaient-elles installées?

Chloë a envoyé une nouvelle vanne en se glissant sur une chaise, à ma gauche. «Arrête, chez toi, même les mouches tombent à cause de l'odeur!»

«Ouais! T'es tellement dégueu que je voudrais pas te donner une baffe, même avec la main de quelqu'un d'autre!» a balancé Zoey en s'asseyant à ma droite.

J'ai failli tomber dans les pommes. J'avais l'impression que ça faisait une éternité que nous n'avions plus déjeuné ensemble.

« Ça va, toi ? a demandé Chloë en posant sa main sur mon épaule. On a entendu parler de cette vidéo, sur YouTube. »

« On vous a trouvées trop mignonnes, ta sœur et toi ! » a ajouté Zoey avec un sourire.

Je n'y ai pas cru une seule seconde, évidemment.

J'ai l'air complètement débile sur cette vidéo. Et il était évident que mes copines mentaient comme des arracheuses de dents.

Ce qui est l'une des CHOSES les plus SYMPAS qu'elles aient faites pour moi !

Elles sont les plus top des MAV ! Je ne mérite pas des amies comme elles.

J'étais sur le point de m'excuser auprès de Chloë et Zoey et de tout leur raconter quand MacKenzie s'est mise à hurler comme une folle.

« Chloë ! Zoey ! Qu'est-ce que vous faites, toutes les deux ? J'ai donné l'ordre formel à tous mes danseurs de s'asseoir ensemble à la table 4 ! »

J'ai murmuré : « Hé, les filles, inutile de vous installer avec moi. On discutera plus tard, OK ? »

MacKenzie m'a regardée d'un air mauvais. « Au fait, vous savez que Nikki a à peu près autant de talent qu'une ventouse à chiottes ! OMG ! J'avais mal pour elle en regardant cette vidéo ! »

J'ai riposté : « Moi, au moins, je ne suis pas une pauvre fashionista, avec 2 de Qi ! Si ton cerveau était de la dynamite, t'en aurais pas assez pour te faire sauter le nez ! »

« S'te plaît, Nikki ! T'es jalouse parce que tu ne fais pas partie de MA troupe, c'est tout. Tout le monde sait que c'est nous qui allons gagner ! a-t-elle craché. Chloë ! Zoey ! C'est soit elle, soit moi ! À vous de choisir... tout de suite ! »

Lentement, Chloë et Zoey se sont levées. J'étais TERRIBLEMENT vexée qu'elles choisissent MacKenzie, mais je ne leur en voulais pas.

J'étais la plus grosse NOUILLE de l'école, et elle la plus grande DIVA.

« Bien, les filles, je suis heureuse de voir que vous êtes revenues à la raison. Au moins, vous savez faire la différence entre les vraies et les fausses amies ! » a lancé MacKenzie avec mépris.

« C'est pas difficile ! » a dit Chloë.

Zoey a approuvé : « Je suis d'accord. Moi, les hypocrites, je peux pas les blairer ! »

J'ai continué à fixer mes deux MAV. J'avais l'impression qu'on venait de m'envoyer un coup de pied dans l'estomac.

Puis Zoey a mis les mains sur ses hanches et s'est avancée vers MacKenzie.

« On a entendu tout ce que t'as dit à Nikki. Et tu sais quoi ? T'as VRAIMENT intérêt à te calmer ! Ton comportement pue tellement qu'on a du mal à respirer ! »

Je n'en croyais pas mes oreilles. Zoey avait vraiment dit ça ?

Chloë a hoché la tête et croisé les bras.

« Ouais, on en a marre, meuf. Si tu crois que tu as le droit de traiter notre copine comme ça, tu te trompes. Et, au fait, JE ME CASSE ! »

« MOI AUSSI ! » a renchéri Zoey.

MacKenzie s'est étranglée : « Quoi ? Vous ne POUVEZ pas partir ! »

« AH BON ? » a répondu Zoey.

« T'as pas compris ? Tu veux qu'on répète ? » a ajouté Chloë.

MacKenzie tremblait de rage. Elle a serré tellement fort sa bouteille que l'eau a giclé partout!

« TRÈS BIEN ! J'ai pas besoin de vous, de toute façon !
Mais je vous conseille de dégager, ou ça ira mal pour vous ! »
a-t-elle sifflé avant de rejoindre la table du CCC.

J'étais si heureuse que mes MAV m'aient préférée
à MacKenzie. Et elles m'avaient défendue, aussi !

Ici même, à la table 9, nous nous sommes embrassées
toutes les trois.

« Bon, eh bien finalement, on n'y participera pas,
à ce concours ! » a dit Zoey.

« Oui, c'est la vie ! » a commenté Chloë en agitant
les deux mains, comme à son habitude.

C'est alors que je me suis écriée : « Eh, j'ai une idée ! Pourquoi
vous ne viendriez pas dans mon groupe, toutes les deux ?
On répète après les cours, ce soir. On a besoin de deux choristes ! »

« Je ne sais pas... » à lâché Chloë.

Zoey, hésitait, elle aussi : « Mouais... J'en ai un peu marre,
de toutes ces histoires. »

J'ai pris un ton suppliant : « S'il vous plaît, les filles !
Ce sera exactement comme notre ballet des zombies !
C'était pas de la balle, ça ? »

« T'as raison, c'était génial ! » a approuvé Chloë.

« Même si on s'est tapé un D », a commenté Zoey
d'un air songeur.

« Écoutez, venez au moins à la répète ce soir.
Vous vous déciderez après, OK ? »

« Ça me convient ! » a lancé Chloë.

Zoey a ajouté : « Et moi, j'ai hâte de vous entendre ! »

Je voyais MacKenzie, à l'autre bout de la cafétéria,
qui nous regardait en murmurant quelque chose à Jessica.

Mais ça n'avait aucune importance.

J'avais retrouvé mes deux MAV. Enfin !

☺

On s'est ÉCLATÉES à la répète, hier soir !

Chloë et Zoey étaient scotchées. Et comme elles connaissaient presque tout le monde, elles se sont bien intégrées.

Désormais, elles sont membres officiels du groupe et seront à la fois danseuses et choristes. ☺

Je n'arrive pas à y croire : mes deux MAV et moi allons chanter ensemble, sur scène !

OUIIIIIIIII !! ☺

Le plan diabolique de MacKenzie pour m'écarter du concours de talents a lamentablement échoué. À partir de maintenant, je serai son pire cauchemar, et que la meilleure gagne !

D'ailleurs, pour lui rendre hommage, nous avons décidé d'appeler notre groupe le

NOUILLE'S BAND

(merci, MacKenzie).

Nous avons même composé une chanson originale inspirée par les petites insultes qu'elle nous a balancées.

Tout a commencé quand Violet a croisé les bras et annoncé : « Hé, je suis une nouille et FIÈRE de l'être! »

Alors on s'est mises à plaisanter en se demandant laquelle de nous était la plus nouille. Les mecs nous ont même suppliées d'arrêter de délirer.

« On délire pas ! a lancé Zoey. On fait de l'échauffement vocal ! »

« Oui, et l'échauffement, c'est TRÈS important ! » a ajouté Chloë en leur lançant un regard méchant pour de faux.

À ce moment-là, Zoey a commencé à chanter : « J'essaye de m'intégrer au collège, mais les copains me traitent de NOUILLE, et j'me fais tèj ! »

Et Chloë a continué : « Et quand ils sont carrément trash... »

« Je me dis qu'il faut que je m'arrache ! » j'ai conclu.

Nous avons éclaté de rire en nous tapant dans les mains.

Les gars nous ont regardées, puis ont levé les yeux au ciel avec une grimace. Et ils ont commencé à se dire des trucs tout bas.

Je savais qu'ils mijotaient quelque chose et je me suis demandé s'ils n'étaient pas en train de nous faire une blague.

Alors ILS ont commencé à délirer, eux AUSSI!

Ils se sont mis à danser, à chanter et à gesticuler
comme des vrais rappeurs.

> « Nouille, naze, intello, geek,
> Ça veut rien dire, tout ça!
> S'te plaît, arrête ton cirque
> Et laisse-moi juste être moi!»

On était tellement pliés de rire qu'on en avait mal aux côtes.

Le plus bizarre, c'est que leur chanson avait un super-tempo
et une belle mélodie. Le genre de son qui te reste dans la tête
pendant toute une journée.

Même si c'était censé être une blague, nous, les filles,
ça nous a plu. Évidemment, les mecs nous ont prises
pour des OUFS!!

Mais ils ont fini par accepter d'en faire une vraie chanson.
Pendant que Violet, Théo, Brandon et Marcus travaillaient
sur la musique, Chloë, Zoey et moi on a attrapé une feuille
pour écrire les paroles.

À la fin de la répétition, on avait composé une chanson super cool sur quelqu'un qui n'arrive pas à s'intégrer dans son collège mais qui veut vraiment rester lui-même.

J'avoue, on était loin des textes super sérieux sur l'amour impossible ou la protection de la planète.

Mais c'est NOTRE chanson, et elle exprime nos sentiments, ce qui est le plus important.

Maintenant que nous avons trouvé un nom pour notre groupe, je vais pouvoir commencer à fabriquer nos T-shirts.

J'ai mis mon casque sur mes oreilles et mes morceaux préférés à fond, et j'ai commencé à créer des motifs. Je me suis éclatée jusqu'à minuit !

En tout cas, une chose est sûre : le NOUILLE'S BAND sera looké à mort !

Tous les événements de ces derniers jours m'ont complètement chamboulée. J'aurais sans doute oublié ma tête si elle n'était pas plantée sur mes épaules.

Tout le monde au collège a entendu parler
du NOUILLE'S BAND !

Les gens commencent même à s'entasser à la porte
de notre salle pour nous écouter répéter.

C'est comme si on était un vrai groupe avec de vrais fans.

Et pas juste une bande de copains un peu nouilles qui aiment
la musique et ont commencé à jouer ensemble il n'y a même
pas une semaine.

À en croire les derniers ragots, en tout cas, c'est pas gagné
d'avance pour la troupe de danseurs de MacKenzie, qui
n'est plus favorite pour remporter le concours.

Ce qui, je suppose, est une bonne nouvelle pour nous.

Surtout pour moi, car remporter ce concours est le seul moyen
pour moi de rester au Westchester Country Day.

J'ai pensé à parler de mon père et de tout le reste à Chloë
et Zoey, mais en fait je crois que ça ne ferait que compliquer
les choses.

Ce que je dois à tout prix éviter, c'est qu'elles recommencent à me poser des questions sur mes véritables motivations et sur notre amitié.

Mais en même temps, je sens que ce n'est pas bien de garder tous ces secrets pour moi.

ARRGHH... ☹
ET SI JE LAISSAIS LUCIE FAIRE ?!

En tout cas, aujourd'hui, c'est notre dernier jour de cours avant Thanksgiving.

La répétition costumes est prévue vendredi, et samedi, c'est le grand jour...

JE VEUX JE VEUX JE VEUX JE VEUX GAGNER
POUR POUVOIR RESTER AU COLLÈGE !

La bonne nouvelle, c'est que même si je ne gagne pas, je n'aurai même pas besoin de chercher un nouveau collège.

POURQUOI ?

Parce que quand mes parents auront découvert
mes mensonges, ils me TUERONT!

Et c'est sans doute illégal d'INSCRIRE un CADAVRE
au collège, non?

Allô les pompiers? C'est une urgence!
Des parents viennent de nous déposer
une nouvelle élève, qui vient du WCD.
Je crois qu'elle ne respire plus!

SECRÉTARIAT

JEUDI 28 NOVEMBRE

Aujourd'hui, c'est THANKSGIVING! ☺

J'ADORE, J'ADORE ce jour-là!

Surtout parce que j'avale en une soirée assez de bouffe
pour nourrir toute une équipe de foot.

Avec Brianna, nous avons aidé Maman à préparer le repas
pendant que mon père allait chercher ma grand-mère
à l'aéroport.

Je suis super contente que Grand-Mère vienne passer
le week-end chez nous, parce que je ne l'ai pas vue
depuis qu'on a emménagé ici, l'été dernier.

Elle a dit qu'il était HORS DE QUESTION qu'elle rate
mon concert, et qu'elle viendrait même si elle devait
faire 500 km avec son gyropode.

Le pire, c'est qu'elle en est capable!

Grand-Mère

Grand-Mère dit que tous ses amis ont des gyropodes,
eux aussi. Et, pour rigoler, ils se réunissent en bande,
comme les Hells Angels, et sillonnent la ville en jetant
des bouteilles d'eau de Vichy et en tartinant les poignées
des voitures de crème à dentier !

Grand-Mère a un grain. Un GROS grain, même !

Maman dit que c'est parce qu'elle a une personnalité excentrique et qu'elle aime la vie. Personnellement, je pense que c'est une façon polie de dire qu'elle est sénile.

Mais vous allez l'ADORER ! ☺

La voici, avec ses trois adorables caniches :
Larry, Moe et Curly.

Grand-Mère →

Notre repas de Thanksgiving était TROP TOP !!

Grand-Mère

Une fois que tout le monde a eu fini de se gaver,

Papa a allumé la cheminée du salon et nous avons organisé

un concours d'imitations.

J'ai eu l'idée géniale de proposer le thème des chanteurs

célèbres, et nous avons tiré au sort dans un chapeau.

Quand ça a été le tour de Grand-Mère,
tout le monde était PTDR.

OMG! Son imitation de Lady Gaga, c'était de la balle!

Après le jeu, Grand-Mère nous a tous rassemblés
et nous a embrassés un par un. Puis ses yeux ont commencé
à se mouiller quand elle nous a annoncé qu'elle avait
quelque chose d'important à nous dire.

« Je crois qu'il faut que vous sachiez pourquoi j'ai voulu à tout
prix être là pour Thanksgiving. Je prends de l'âge, et bientôt
je vais partir pour un long, très long voyage... Je vous
manquerai, et vous me manquerez, je sais, alors je voulais
vous dire encore une fois à quel point je vous aime
et vous donner votre cadeau de Noël maintenant. Je ne serai
pas PHYSIQUEMENT présente à Noël, mais je serai
près de vous par la pensée! »

Papa a essuyé une larme : « Maman, nous t'aimons tous,
nous aussi. Mais s'il te plaît, ne parle pas de mourir
et de nous quitter! »

OMG! C'était si triste que j'ai reniflé une fois ou deux.

Tout à coup, Grand-Mère s'est tournée vers mon père et a levé les yeux au ciel comme s'il était complètement DÉBILE.

«Ton père a dû te bercer trop près du mur quand tu étais bébé, mon pauvre garçon! a-t-elle lancé. Qui te parle de MOURIR! Gladys, Béatrice et moi-même, nous nous envolons mercredi prochain pour deux semaines à Las Vegas! Ensuite, on file en voiture à Hollywood pour assister à un enregistrement du JUSTE PRIX! Nous ne serons de retour qu'après Noël. »

Tout le monde a poussé un grand SOUPIR de soulagement.

«En tout cas, avant de partir, je veux vous donner votre cadeau. Il s'agit d'un objet de famille, qui, depuis 1894 – ou 1984, je ne sais plus trop, enfin... dans ces eaux-là –, se transmet de génération en génération chez les Maxwell. C'est ce que je possède de plus précieux. »

Quand je l'ai vue se diriger vers un placard et en sortir un paquet avec un gros nœud rouge à paillettes, j'ai pensé que s'il s'agissait d'une antiquité super précieuse, mes parents pourraient peut-être la vendre sur eBay, et utiliser ma part pour payer mes frais de scolarité – et quand même garder des milliers de dollars pour eux.

Avec son cadeau, Grand-Mère allait peut-être exaucer
mon vœu le plus cher?

PAS DU TOUT!!

En ouvrant le cadeau, nous avons découvert un vieux seau
en fer muni d'une grande anse, sur le côté.

Les yeux humides, Papa a soufflé : «Maman, il ne fallait pas!
La sorbetière de mamie Gertrude! Celle qu'elle utilisait
pour me faire des glaces quand j'étais petit garçon!»

GÉNIAL! Si je comptais payer mes frais de scolarité avec ça,
c'était plutôt raté! ☹

Ce soi-disant «précieux héritage» est en réalité une bouse
bonne à jeter à la poubelle!

Le mois prochain, il nous servira sans doute de poubelle
à recycler. Au moment du grand nettoyage de printemps,
Maman appellera la déchetterie pour qu'on nous
en débarrasse – en même temps que des trésors que Papa
a dénichés dans des vide-greniers, comme son canoë
sans rames, par exemple...

Grand-Mère a tendu à Maman un morceau de papier
où est inscrite la recette secrète de crème glacée
des Maxwell en disant : «J'adorerais déguster une délicieuse
GLACE bien crémeuse en dessert, et vous?»

Brianna s'est déchaînée : «OUIIIII!!!! MOI, J'EN VEUX!»

«Quelle bonne idée! a dit Maman en nous poussant
vers la cuisine. Je pense que préparer de la glace ensemble
est une MERVEILLEUSE activité familiale!

Une activité familiale? Encore? Au secours! 🙁

En même temps, faire de la glace est une activité plutôt paisible, à première vue, non?

PAS DU TOUT, surtout si l'on utilise une vieille sorbetière en fonte avec une manivelle...

Les choses ont commencé à se compliquer quand Papa a montré à Brianna ce qu'il faisait quand il avait son âge, pour s'amuser.

Pendant que Maman regardait ailleurs, Papa et Brianna ont essayé de lécher la crème glacée qui coulait sur les bords de la sorbetière.

Qui aurait pensé qu'une telle antiquité pouvait atteindre des TEMPÉRATURES INFÉRIEURES À 0 °C!

LA FAMILLE MAXWELL
FAIT DE LA GLACE MAISON

AAAHHH!

Au hecours! E crois que ma nang
est oincée dans la macine.

Cherchez l'erreur – ou plutôt, les deux grosses – erreurs
dans l'image ci-dessus. N'importe quoi, vraiment!!!

Après ce sketch lamentable, je sais maintenant avec certitude
de qui Brianna a hérité son MANQUE d'intelligence!

J'étais sûre que leurs langues allaient devenir toutes dures, tomber par terre et exploser en mille morceaux.

Heureusement, Papa et Brianna s'en sont tirés avec de légères engelures. Et un bégaiement, plus sévère mais temporaire.

À ma grande surprise, la glace de Maman était SUPER BONNE!

Mais à chaque fois que je repensais à Papa et à Brianna en train de lécher cette machine, j'éclatais de rire tellement fort que la glace aurait pu me sortir par le nez et provoquer un GEL DE CERVEAU – ce qui est très douloureux.

À ce propos, je me demande s'il est exact que quand on prend une douche chaude juste après un gel de cerveau, le cerveau se met à fondre et nous transforme en membre du CCC. Bref...

EN TOUT CAS, NOUS AVONS PASSÉ UN SUPER-THANKSGIVING!

☺

VENDREDI 29 NOVEMBRE

Aujourd'hui, les répétitions du concours se sont déroulées à l'auditorium du lycée. C'est une nouvelle salle qui peut accueillir 2 000 personnes. Rien qu'à l'idée de me produire devant un public aussi nombreux, j'avais des papillons dans l'estomac.

Les garçons ont installé tout le matériel pendant que Chloë, Zoey et moi nous échauffions la voix.

Violet nous regardait et n'arrêtait pas de nous dire qu'on chantait super bien.

La productrice de l'événement, Sasha Ambrose, est une étudiante très talentueuse qui a remporté deux fois de suite le concours lorsqu'elle était au collège.

Dans mon estomac, les papillons se sont vite transformés en une lourde boule d'angoisse quand j'ai vu MacKenzie, en coulisses, murmurer quelque chose à l'oreille de Sasha en me pointant du doigt!

Rassemblés dans l'auditorium, tous les candidats attendaient impatiemment que Sasha leur attribue une loge et établisse un ordre de passage.

Il y avait dix-huit groupes au total, et elle les a appelés un par un, à l'exception du NOUILLE'S BAND.

Après avoir envoyé tous les autres candidats en coulisses,
elle nous a finalement attribué des sièges au premier rang.

Évidemment, nous nous demandions tous pourquoi elle ne nous
avait pas appelés en même temps que les autres.

Sasha a pris notre bulletin d'inscription, l'a parcouru,
puis a secoué lentement la tête : « C'est quoi, le nom
de votre groupe ? »

Nous avons répondu en chœur : « NOUILLE'S BAND ! »

« Eh bien, malheureusement, la date limite d'inscription était
le vendredi 22 novembre. Et le règlement stipule que tout
dossier INCOMPLET entraîne la disqualification... »

Pourquoi nous racontait-elle tout ça ? Je n'en avais pas
la moindre idée.

J'avais personnellement rempli notre fiche d'inscription, dans
le bureau du collège, et l'avais remise AVANT la date limite.

Pris de panique, nous avons commencé à parler
tous en même temps.

Sasha a levé la main pour obtenir le silence. «Je suis désolée, mais le règlement, c'est le règlement!»

Au bord des larmes, j'ai pris la parole : «Je ne comprends pas. J'ai rempli et remis moi-même la fiche d'inscription. Alors comment pouvons-nous être disqualifiés?»

«C'est vrai, vous l'avez remise à temps, a répondu Sasha. Le problème, c'est qu'elle est INCOMPLÈTE! Il manque le nom de votre groupe.»

Elle m'a tendu la fiche et tout le monde s'est approché pour la lire.

Dans les cases où aurait dû figurer le nom du groupe, j'avais écrit : «Je sais pas trop encore.»

Mon cœur s'est arrêté de battre. Sous le choc, mes amis hochaient la tête, incrédules.

J'ai chiffonné la fiche et l'ai fourrée dans ma poche, tandis que des larmes coulaient sur mes joues. « Je suis VRAIMENT désolée, les amis ! Je pense que Sasha a raison. Tout est ma faute. Je ne sais pas quoi dire... »

« J'y crois pas ! a explosé Violet. Nikki, comment tu as pu oublier un truc aussi important ? »

Je me suis contentée de hausser les épaules en regardant par terre.

C'est alors que Brandon a volé à mon secours.

« Il ne faut pas oublier que ce groupe a été formé dans l'urgence, à la dernière minute. À ce moment-là, on n'avait pas encore de nom. »

Sasha a commencé à parler dans son casque et, soudain, les lumières de la salle se sont éteintes.

Le rideau s'est ouvert sur les premiers candidats, un groupe de rap de cinquième en costumes de caniches, qui interprétaient le titre « Qui a lâché les chiens ? ».

J'ai espéré qu'il s'agissait d'un numéro comique.

« C'est pas JUSTE ! » a protesté Chloë.

« On peut sûrement faire quelque chose », a répondu Zoey.

« Ah, le showbiz ! » a ironisé Violet.

Sasha nous a lancé un regard d'avertissement et a couvert le micro de son casque : « Au cas où vous n'auriez pas remarqué, j'essaie de présenter un spectacle. Sortez dans le hall. Allez, dégagez ! »

Nous avons poussé un profond soupir, avant de nous diriger vers le hall en traînant les pieds. Puis, tous les sept, nous avons commencé à nous apitoyer sur le sort du « NOUILLE'S BAND ».

Tout le monde avait l'air TELLEMENT déçu que j'en avais le cœur brisé.

Je n'arrivais PAS à croire que je leur avais fait un coup pareil.

J'étais vraiment la PIRE copine du monde.

Comme je ne savais pas quoi dire, je me suis excusée une nouvelle fois.

« Je suis VRAIMENT VRAIMENT désolée, les amis. Quand je pense qu'on a répété pendant des heures pour ÇA ! Pour ne pas pouvoir jouer ! J'aimerais trouver un moyen de me faire pardonner... »

Ils m'ont tous adressé un pauvre sourire et ont haussé les épaules.

« Ça va ! s'est écriée Chloë en agitant les mains comme elle fait toujours quand elle est en forme. On s'est fait virer du concours de talents, mais c'est pas la fin du monde !

« Et avec ce dragon de Sasha, on n'a aucune chance de pouvoir retourner en coulisses récupérer notre matériel, a dit Théo. Moi, je me casse ! Une pizza, ça vous dit ? »

« On pourra toujours récupérer nos trucs demain, a ajouté
Marcus. En fait, j'ai bien envie d'une pizza ! »

Tout le monde a commencé à retrouver le sourire
et on a décidé d'aller manger une pizza de l'autre côté
de la rue – ce qui était une bonne idée car nos parents
ne viendraient pas nous rechercher avant deux bonnes heures.

Mais je me sentais toujours très mal et j'avais une boule
dans l'estomac. Rien que l'idée d'avaler quelque chose
me donnait envie de vomir.

« Désolée, mais je suis crevée. Je crois que je vais rentrer
chez moi. »

Brandon a insisté : « Allez, Nikki, te fais pas du mal ! »

« Oui, on a fait tout ce qu'on a pu, après tout »,
a ajouté Violet.

« Mais, surtout, on s'est bien éclatés à répéter tous ensemble,
non ? » a dit Chloë en me serrant dans ses bras.

J'ai eu un pauvre sourire : « Oui, c'est sûr... Allez-y sans moi, et mangez une part de pizza pour moi, OK ? Je vais rentrer. »

Ils ont fini par laisser tomber l'idée de me convaincre.

Même s'ils étaient tous très déçus d'avoir été disqualifiés, ils essayaient de prendre ça avec bonne humeur.

Je ne MÉRITE vraiment pas des amis comme eux !

Ils riaient et plaisantaient toujours, en se dirigeant vers la sortie.

J'ai appelé mes parents pour qu'ils viennent me chercher. En les attendant, près de la porte du collège, je me sentais de plus en plus mal.

Remporter ce concours de talents – et une bourse d'études au WCD – était ma seule chance de rester dans ce collège.

Désormais, même cet espoir-là s'était envolé.

La tête dans les genoux, je me suis mise à pleurer.

C'est alors que j'ai entendu des pas s'approcher.

Vivement, j'ai essuyé mes larmes d'un revers de manche.

«Nikki, t'en fais une tronche! a lancé MacKenzie avec dédain. OMG! C'est quoi, ton gloss? Oh, mais ce n'est pas du gloss, c'est... de la morve!»

Il manquait plus que ça! Je me suis tournée vers elle en levant les yeux au ciel.

« J'ai entendu dire que le NOUILLE'S BAND avait été disqualifié. Quel dommage! Heureusement que Jessica travaille au bureau! Comme ça, elle a pu récupérer votre fiche pour vérifier que vous n'aviez pas triché. »

« Écoute, je n'ai pas du tout eu l'intention de tricher. C'est juste qu'on n'avait pas encore de nom... »

« Essaye de voir les choses du bon côté : au moins, maintenant, vous n'aurez pas à monter sur scène et à vous humilier publiquement. ENCORE!... Et maintenant que le NOUILLE'S BAND et les SuperFreaks sont éliminés, moi et ma troupe, on va gagner les doigts dans le nez! »

« MacKenzie, tu me fais pitié : non seulement t'es un monstre de vanité et d'égoïsme, mais en plus, t'es blonde! »

Elle m'a adressé un petit sourire méchant : « Tu dis ça comme si c'était une MAUVAISE chose! »

Puis elle a sorti son gloss et s'en est appliqué une nouvelle couche.

« Bon, mais je ne suis pas venue ici pour te parler. Maintenant que Brandon ne participe plus au concours, Sasha a besoin de lui pour photographier le spectacle. »

« Désolée, mais il vient juste de partir. »

MacKenzie m'a dévisagée avec attention. Elle cherchait à savoir si je mentais ou si je disais la vérité.

« Si tu le vois, dis-lui que Sasha et moi on veut lui parler, s'il te plaît. »

« Depuis quand tu me prends pour ton assistante ? Si tu as quelque chose à dire à Brandon, va lui dire toi-même ! »

MacKenzie a mis les mains sur les hanches et m'a lancé un autre sourire méchant.

« T'es vraiment raide dingue de lui, hein ? Alors écoute-moi bien : si tu veux Brandon, compose le 0890 code danstesrêves ! »

Puis elle s'est retournée et s'est éloignée dans le hall en roulant des fesses. Je DÉTESTE quand elle fait ça.

À ce moment-là, ma mère est arrivée, et je me suis levée pour monter dans la voiture.

« La répétition s'est terminée tôt, aujourd'hui ! » a-t-elle lancé.

J'ai marmonné : « Oui, c'est ça... »

À peine arrivée à la maison, je me suis précipitée
dans ma chambre et me suis laissée tomber sur mon lit.

Je suis restée un moment allongée, à ressasser mes idées noires.

J'ai vraiment la MÉGA-LOSE !

Des copines comme moi, franchement, c'est pas un cadeau !

J'avais envie de croire que les choses allaient tellement mal qu'elles ne pouvaient pas être pires.

Mais je savais déjà que je me trompais : oui, ça pouvait être pire. BIEN PIRE !

Demain, il faudrait que je dise la vérité à mes parents. TOUTE la vérité ! ☹

Quand j'ai fini par me réveiller, il était presque midi.

À l'idée d'avoir à affronter mes parents, j'avais un peu mal au ventre.

En plus, j'avais le soleil dans les yeux et une violente migraine.

J'ai constaté avec étonnement que j'avais dormi tout habillée. J'ai attrapé mon oreiller, poussé un grognement et enfoui ma tête dessous.

Soudain, on a frappé à ma porte. Je n'ai pas répondu.

Souvent, le samedi matin, Brianna et miss Plumette viennent me réveiller. Mais aujourd'hui, c'était mon jour de chance.

Avant que j'aie eu le temps de crier «Allez-vous-en!», Brianna, miss Plumette et ma grand-mère ont fait irruption dans ma chambre.

Cette triple dose de folie menaçait de détruire le fragile lien qui me rattachait encore à ma triste réalité.

En tout cas, ça a suffi pour me donner envie de sauter
par la fenêtre de ma chambre en hurlant.

« Réveille-toi ! Réveille-toi ! criait Brianna. Moi, Grand-Mère
et miss Plumette, on a besoin de toi pour nous aider à faire
de la glace maison ! »

Ma grand-mère s'est assise sur mon lit et a commencé
à me chatouiller : « Allez, debout, grosse marmotte ! »

« Arrête, Grand-Mère, s'il te plaît ! Je me sens pas bien !
Je suis épuisée ! »

« Eh bien, ça ne m'étonne pas. Comment peux-tu bien dormir
avec un bazar pareil sur ton lit ? Un sac à dos, un livre,
des baskets, et tout un tas de cochonneries ! »

Elle a ramassé un bout de papier chiffonné qui venait
de tomber de ma poche.

« Tu veux le garder ou je peux le jeter ? » a-t-elle demandé
en le défroissant pour le lire.

Elle a fait glisser ses lunettes sur son nez en louchant.

« Oh, ça ? C'est rien, tu peux le jeter ! »

De nouveau, j'ai enfoui ma tête sous l'oreiller dans l'espoir
que Grand-Mère et Brianna allaient enfin me laisser tranquille.

« Tu es sûre, chérie ? Ça a l'air important : FICHE
D'INSCRIPTION au concours de talents du WCD... Alors
comme ça, tu as appelé ton groupe "Je sais pas trop encore".
C'est un peu bizarre, comme nom, tu ne trouves pas ? »

« Miss Plumette dit qu'elle cherche des cupcakes au chocolat.
Tu en as, Nikki ? » a demandé Brianna en fouillant
dans mon tiroir à chaussettes.

C'est alors que j'ai émergé de sous mon oreiller.

« NON, Brianna ! Il n'y a pas de cupcakes dans mon tiroir
à chaussettes ! Et non, Grand-Mère, ce n'est PAS le nom
de mon groupe ! Il faudrait être vraiment débiles pour... »

Je me suis interrompue au beau milieu de ma phrase.

Dans ma tête, je hurlais : « OMG ! OMG ! Mais bien sûr !!! »

Je venais juste d'avoir une idée GÉNIALE !

Peut-être y avait-il encore un peu d'espoir pour notre groupe...

J'étais si heureuse que j'ai serré Grand-Mère dans mes bras.

Puis je me suis mise à rire et à sauter sur mon lit :

« JE T'ADORE, GRAND-MÈRE ! »

À son tour, Grand-Mère a grimpé sur le lit et a commencé à sauter, elle aussi : «Je t'adore aussi, ma chérie ! Je suis contente que tu ailles mieux.»

Brianna s'est mise à pleurnicher : «Hé ! Et MOIIIIIIIII?! Miss Plumette et moi, on veut sauter, nous aussi !»

Toutes les trois, on s'est donné la main et on a sauté sur mon lit comme si c'était un trampoline.

Je leur ai promis de les aider à préparer de la glace,
une fois que j'aurais passé un ou deux coups de fil.

Alors, Grand-Mère et Brianna se sont précipitées
dans l'escalier en chantant à tue-tête – et totalement faux –
Girls just want to have fun.

J'avais hâte d'appeler Chloë et Zoey.

Quand je leur ai expliqué mon idée pour nous présenter
de nouveau au concours, elles l'ont trouvée géniale.

Après, nous avons appelé Violet, Brandon, Théo et Marcus
pour discuter de la meilleure manière de contacter Sasha,
afin de discuter de notre dossier.

Enfin, j'ai modifié totalement le dessin de nos T-shirts
de scène.

Un peu plus tard, ce soir-là, tout s'est déroulé comme prévu
et nous avons croisé Sasha dans les coulisses.

J'ai défroissé notre fiche d'inscription du mieux que j'ai pu
et la lui ai rendue.

Mais avant même que Sasha ait pu y jeter un œil,
MacKenzie s'est précipitée : « Qu'est-ce que tu fais ici, Nikki ?
Sasha t'a déjà dit que le NOUILLE'S BAND était disqualifié ! »

« Qui t'a dit que c'est sous ce nom-là qu'on voulait participer ?
lui ai-je lancé d'un air triomphal. De toute façon, notre fiche
est parfaitement bien remplie. »

MacKenzie avait l'air désorientée. « QUOI ? Si vous n'êtes pas
le NOUILLE'S BAND, alors qui êtes-vous ? »

Elle n'avait visiblement rien capté.

Sasha a lu notre fiche et a hoché lentement la tête.
« Oui, c'est correct. Si c'est le nom de votre groupe, alors
vous serez autorisés à participer. »

MacKenzie s'est mise à hurler en trépignant comme un *bébé
de deux ans* en pleine crise de nerfs : « Mais comment ça ?
C'est pas JUSTE ! »

J'ai enfoncé le clou : « Raté ! Maintenant, fais-moi plaisir,
MacKenzie : casse-toi une jambe ! »

Je le pensais VRAIMENT.

Bon, OK : je le pensais un peu.

La nouvelle de notre retour s'est rapidement répandue.
La compétition s'annonçait sévère...

Pendant le spectacle, on nous a installés dans les loges pour qu'on puisse regarder les autres groupes sur un écran de télévision.

Il y avait des tours de magie, des troupes de danseurs, des musiciens, des chanteurs, et la plupart d'entre eux étaient vraiment bons.

C'était PAS gagné !

Au bout d'une heure et demie, l'assistant plateau nous a conduits en coulisse et nous a demandé d'attendre : ça allait être à nous.

La troupe de danse de MacKenzie était sur scène, et je dois reconnaître qu'ils étaient top.

Ils portaient des justaucorps à sequins et se défonçaient comme des oufs.

Le public était à fond.

Comme notre groupe avait été ajouté à la liste
des participants à la dernière minute, nous étions
les derniers à passer.

Violet et les garçons devaient entrer par le côté gauche
de la scène, et Chloë, Zoey et moi par le côté droit.

Pendant qu'on attendait le signal, mon estomac a commencé
à faire des doubles saltos.

C'était sûrement une crise de panique ou un truc du genre, parce que j'entendais dans ma tête une voix qui hurlait : « Qu'est-ce que tu fais? Tu peux pas aller chanter comme ça devant tous ces gens! Et si tu te PLANTAIS complètement? Ta vie serait FOUTUE!»

Mais je n'avais pas le choix : j'avais BESOIN de cette bourse d'études!

Chloë et Zoey ont dû sentir que j'avais le trac, parce qu'elles m'ont prise chacune par une main et l'ont serrée très fort en me disant que tout allait bien se passer.

Pourtant, mes jambes étaient encore toutes tremblantes. Mais c'était génial de penser que si je m'écroulais, Chloë et Zoey seraient là pour me traîner sur scène et me mettre le micro dans la main.

Elles sont VRAIMENT les meilleures amies que j'aie JAMAIS eues!

Je ne trouve pas les mots pour décrire ce que j'ai ressenti en entendant la foule hurler quand l'assistant nous a présentés...

« Nos prochains candidats s'appellent Nikki, Chloë, Zoey, Brandon, Violet, Théodore et Marcus. Je vous prie d'accueillir chaleureusement les...

JE SAIS PAS TROP ENCORE ! »

J'adore notre nouveau nom ! Il est pro, très percutant, comme ceux des groupes qu'on voit sur MTV !

Très vite, nous sommes entrés en scène et avons pris nos places.

J'ai jeté un regard nerveux sur le public en plissant les yeux, pour tenter de distinguer des visages connus. Mais, à cause de la lumière éblouissante des spots, le public ressemblait à une masse floue, sombre et très agitée.

Ce qui, en vérité, était une bonne chose, parce que le fait de voir un million de paires d'yeux fixés sur moi m'aurait vraiment fait stresser.

J'ai jeté un œil par-dessus mon épaule, et Brandon m'a souri en me faisant signe que tout irait bien.

Puis il a tapé quatre fois *ses* baguettes l'une sur l'autre pour donner à Violet, Théo et Marcus le signal du départ.

OMG! Ils avaient un son d'enfer! À ce moment-là, je me suis rappelé que c'étaient mes quatre amis qui jouaient en LIVE, et pas un morceau que je passais sur mon iPod.

Chloë, Zoey et moi, on a commencé à danser exactement comme pendant les répétitions.

Puis, après un dernier sourire à mes MAV, j'ai pris une profonde inspiration et j'ai chanté la première note.

Au début, ça m'a fait bizarre d'entendre ma voix aussi fort et aussi bien. Puis j'ai essayé de me détendre et de prendre plaisir à être sur scène.

Au moment où nous avons entonné le refrain...

« Nouille, naze, intello, geek,

Ça veut rien dire, tout ça!

S'te plaît, arrête ton cirque

Et laisse-moi juste être moi! »

J'ai vu les deux premiers rangs se lever et commencer à danser.

À la fin de la chanson, la foule en délire hurlait et nous avons eu droit à une standing ovation.

Ils nous kiffaient grave !

Chloë, Zoey et moi, on s'est embrassées, tandis que les garçons faisaient leur check favori.

Très vite, tous les autres candidats nous ont rejoints sur scène et ont formé une ronde autour de nous.

Quand MacKenzie et son groupe se sont approchés de nous, j'ai vu MacKenzie sourire gentiment à Brandon et lui dire : « Vous êtes trop top ! Bonne chance ! »

Poliment, il a répondu : « Merci ! Bonne chance à vous aussi ! »

Puis MacKenzie s'est tournée vers moi et m'a regardée comme si j'étais une m....e collée sur sa chaussure.

Ce qui ne m'a pas du tout étonnée.

Quand M. Trevor Chase, le président du jury, est monté sur scène, l'ambiance était à couper au couteau.

« Comme vous l'avez remarqué, tous les groupes ont montré des numéros de grande qualité, et j'encourage chacun d'entre vous à continuer d'exploiter ses talents. Mais, ce soir, il ne peut y avoir qu'un seul gagnant. Et le gagnant... »

J'ai retenu mon souffle en répétant dans ma tête : « Pourvu que ce soit nous ! Pourvu que ce soit nous ! »

« ... du 10ᵉ concours de talents du WCD est... le groupe **Mac's Maniacs !** »

MacKenzie a hurlé ! Puis elle a serré Jessica dans ses bras pendant que tous les danseurs s'embrassaient, eux aussi.

J'étais TELLEMENT déçue que j'en aurais chialé.

Ce n'était pas tant le fait d'avoir perdu qui me rendait malade, mais le fait de devoir bientôt quitter le WCD et mes amis.

J'ai eu l'impression que les autres étaient un peu surpris par cet échec, mais ils prenaient les choses avec philosophie.

Après avoir quitté la scène, nous nous sommes tous embrassés. Et tout le monde m'a dit que j'avais super bien chanté.

« Nikki, on s'est vraiment éclatés ! a déclaré Violet, ravie.
On n'a pas gagné, mais bon, c'est... »
« C'est le SHOWBIZ ! » on a crié tous ensemble, avant
d'éclater de rire.

Mais au fond de moi, je me sentais vraiment super mal
à l'idée que, dans quelques jours, j'allais devoir faire
mes adieux à tout le monde.

Mes yeux ont commencé à se remplir de larmes,
mais je ne voulais pas que mes amis me voient pleurer.

Alors j'ai lancé : « Euh... j'ai la gorge un peu sèche. Je vais
me chercher une boisson. Je reviens tout de suite, OK ? »
Et je me suis dépêchée de partir avant que quelqu'un
me propose de m'accompagner.

Je suis allée tout droit dans les toilettes des filles et je me suis
aspergé le visage d'eau. J'ai pensé que bientôt, j'allais devoir
raconter à mes parents tous les trucs de ouf que j'avais faits,
et ça m'a fait stresser.

Brusquement, la porte s'est ouverte et MacKenzie est passée
devant moi comme une fusée.

«Excuse-toi! a-t-elle lancé en sortant son maquillage.
J'ai une séance photos!»

Je l'ai regardée et j'ai levé les yeux au ciel.

«Dommage que tu aies perdu! J'ai essayé de t'éviter
de perdre ton temps. Au moins, quand tu seras repartie
dans un collège public, Jessica pourra récupérer ton casier,
à côté du mien! Depuis que ton père a été embauché
pour les exterminer, les insectes n'ont jamais été aussi
nombreux ici!»

«En plus, tu es beaucoup trop pauvre pour pouvoir payer les
frais de scolarité que tu as reçus la semaine dernière, alors...»

Soudain, une étrange expression est passée sur son visage,
et elle s'est mordillé la lèvre. Puis, d'un geste brusque,
elle a pris son gloss et s'en est appliqué une grosse couche.

J'aurais voulu lui dire de se mêler de ses affaires et qu'elle ne
savait pas de quoi elle parlait. Et pourtant, pour être honnête,
elle savait PARFAITEMENT BIEN de quoi elle parlait,
parce qu'elle avait raison, on n'avait vraiment pas les moyens
de payer cette facture et...

C'est alors que j'ai compris : MacKenzie savait EXACTEMENT de quoi elle parlait. Mais COMMENT était-ce possible ? Comment savait-elle que j'avais reçu une facture et, surtout, pourquoi essayait-elle d'éviter mon regard ?

J'ai mis les mains sur les hanches et j'ai planté mon regard dans ses petits yeux perçants : « Dis-moi, MacKenzie, COMMENT tu sais que j'ai reçu une facture ? Ce serait pas ta copine Jessica, par hasard, qui t'aurait donné une copie de la FACTURE qu'ELLE m'a envoyée ? »

Mackenzie a rougi, puis elle a bredouillé : « Euh... Jessica ne travaille que très peu au bureau du collège. JAMAIS elle n'est chargée d'expédier des lettres, et... »

Je n'en croyais pas mes oreilles. Depuis quinze jours, ma vie n'était qu'un gigantesque cauchemar ininterrompu, parce que je cherchais en vain une solution pour payer cette facture !

J'avais failli péter les plombs tellement je stressais de devoir changer de collège...

Tout ça pour découvrir que cette histoire n'était qu'une sale crasse signée MacKenzie!

Sur le coup, j'étais TELLEMENT en colère que j'avais envie de choper une de ses ballerines Prada à 495 $ la paire pour la lui faire bouffer! Je me suis avancée vers elle.

«C'est TOI et Jessica qui m'avez envoyé cette facture BIDON? J'ai flippé comme une malade en me demandant comment mes parents allaient pouvoir la payer. Comment tu as pu faire une chose pareille?!»

Mal à l'aise, MacKenzie a battu des cils en regardant son visage parfait dans le miroir, puis a refermé son tube de gloss.

«Je ne vois pas du tout de quoi tu parles.»

«Espèce de sale menteuse!»

«Et en plus, même si je t'avais vraiment envoyé une fausse facture, t'as aucune preuve. Pas vrai? Pauvre nouille!»

Sur ces mots, elle a tourné les talons et s'est éloignée
en roulant des fesses.

Je DÉTESTE quand elle fait ça !

Mais, MALGRÉ TOUT, je dois avouer que j'étais SUPER
soulagée d'apprendre que cette facture venait d'ELLE
et pas du collège.

J'avais l'impression d'émerger enfin d'un cauchemar.

En tout cas, j'avais compris la leçon !

Plus de secrets ! À la première occasion, je raconterai
tout à Chloë et Zoey : l'histoire avec mon père, la bourse
d'études...

Et une fois que tout le collège serait au courant, oubliées,
les nuits blanches à me demander si MacKenzie allait lâcher
sa bombe – et quand.

D'un coup, je me suis sentie libérée d'un grand poids.

C'est à ce moment-là que Chloë et Zoey ont fait irruption dans les toilettes, hors d'haleine.

«Ah, t'es là! On te cherche partout! a dit Zoey. C'est MacKenzie qui nous a dit où te trouver.»

«OMG! Tu vas PAS le croire!» a crié Chloë, les yeux comme des soucoupes.

«Après ton départ, a repris Zoey, Trevor Chase est venu nous féliciter. Il nous a dit qu'il recherchait des groupes amateurs pour participer à un atelier avant de passer dans son émission *Mon quart d'heure de célébrité*. Il nous a trouvés très pros et il pense même qu'on est trop bons pour cette émission. Tu le CROIS? Les enregistrements de la prochaine saison ne commenceront qu'à la rentrée, c'est-à-dire au moment où MacKenzie et sa troupe passeront eux aussi une audition. Nikki, il a adoré notre chanson et veut nous programmer le plus vite possible!»

« QUOI ? C'est VRAI ? Je le crois pas ! »

« Eh oui ! Il a dit qu'il voulait qu'on fasse une réunion tous ensemble, avec nos parents, après les vacances, et qu'en attendant, on restait en contact », a ajouté Chloë.

Toutes les trois, on a commencé à crier et à s'embrasser !

Je n'arrivais pas à croire que, dans le monde entier, plein de gens allaient pouvoir écouter NOTRE chanson !

Et si on arrivait à gagner de l'argent, je pourrais utiliser ma part pour m'acheter un portable ! ☺

Une fois de retour à l'auditorium, j'étais en train de parler avec mes parents quand M. Winston est venu me féliciter.

J'ai prié pour qu'il ne parle pas de cette histoire d'insectes et d'extermination.

Et pourtant, il en a parlé !

Apparemment, dimanche dernier, mes parents ont croisé M. Winston et sa femme, au restaurant. Les deux hommes ont pris rendez-vous samedi prochain, au collège, pour que Papa évalue les dégâts.

Heureusement que mon père n'a PAS été viré à cause de moi ! Quel SOULAGEMENT !

Jamais je n'aurais imaginé qu'un jour je serais aussi contente de savoir que c'était LUI, l'exterminateur du WCD !

Mais, plus que tout, je suis super reconnaissante à Papa d'avoir réussi à obtenir cette bourse d'études pour moi. Je ne me rendais pas compte que j'y tenais vraiment, jusqu'à ce que je sois sur le point de la perdre.

En tout cas, je sais déjà que les SEULS insectes que Papa et M. Winston vont trouver sont enfermés dans un bocal, dans le casier de MacKenzie.

Mais, grâce à elle, j'ai bien retenu ma leçon.

Je ne dirai pas un mot sur les insectes du collège.

Après avoir retiré leurs T-shirts de scène, Chloë, Zoey et Violet sont retournées dans les loges pour chercher le reste de nos affaires.

Je suis restée avec Brandon dans l'auditorium, qui était déjà presque vide. Nous étions assis au second rang.

Il m'a dit qu'avoir rebaptisé le groupe à la dernière minute était un pur coup de génie.

Alors j'ai avoué que c'était ma grand-mère qui m'avait donné l'idée.

Il a dit aussi qu'il était vraiment fier de moi et que je chantais si bien que j'aurais pu devenir une star.

Oui, une star de la lose, quoi !

On est restés assis là, face à face, et il m'a regardée pendant ce qui m'a paru une éternité.

J'ai rougi et je me suis sentie toute bizarre.

OMG! Je déteste quand il me fait cet effet-là!

Puis j'ai souri. Et il m'a rendu mon sourire avec
cette expression un peu timide dans le regard.

J'ai FLIPPÉ quand Brandon s'est penché vers moi, jusqu'à
ce que quelques petits centimètres à peine nous séparent.

Mon cœur battait si fort que je l'entendais résonner
à mes oreilles!

L'espace d'un instant, j'ai cru que peut-être il allait...
enfin, tu vois...!

C'est alors que Brianna a surgi juste derrière nous.
Elle s'est penchée vers nous et a crié en brandissant
son poing sous le nez de Brandon :

« ÇA VA, MEC? JE TE PRÉSENTE

MISS PLUMETTE! ELLE DIT

QUE TU AS DES POUX!»

Comment Brianna avait-elle osé faire une chose pareille?
Je n'en revenais pas!

OMG! J'étais trop mal!

Mais, surtout, j'étais super excitée et trop contente
que toute cette histoire se termine bien.

Alors j'ai attrapé miss Plumette et je lui ai donné
un bon gros bisou bien baveux.

Elle a trouvé ça super dégueu.

Brianna, pas miss Plumette.

Et, bien sûr, Brandon et moi, on a éclaté de rire.

Il me connaît bien, maintenant, et il sait que je suis un peu ouf.

OMG !

Je suis qu'une NOUILLE !